Universale Economica Feltrinelli

STEFANO BENNI
LA GRAMMATICA DI DIO

Storie di solitudine e allegria

Feltrinelli

© Giangiacomo Feltrinelli Editore Milano
Prima edizione ne "I Narratori" novembre 2007
Prima edizione nell'"Universale Economica" maggio 2009
Quinta edizione marzo 2011

Stampa Nuovo Istituto Italiano d'Arti Grafiche - BG

ISBN 978-88-07-72118-2

www.feltrinellieditore.it
Libri in uscita, interviste, reading,
commenti e percorsi di lettura.
Aggiornamenti quotidiani

razzismobruttastoria.net

Τῶν θεῶν οὕς οἱ ἄνθροποι εὗρον ὁ μεγα–
λοψυχώτατός ἐστι ὁ πολλὰς ἐρημίας μείξας
αυτας μετατίθησιν ἔς τινα εὔφρονα ἡμέραν.

Καλλίστρατος

Tra gli dèi che gli uomini inventarono, il più ge-
neroso è quello che unendo molte solitudini ne fa
un giorno di allegria.

CALLISTRATO

BOOMERANG

Improvvisamente, un giorno, il signor Remo iniziò a odiare il suo cane.

Non era un uomo cattivo. Ma qualcosa si era rotto dentro di lui quando era rimasto vedovo. Aveva perso la moglie e gli era restato il cane, un botolo salcicciometiccio, grasso e nerastro, con orecchioni da pipistrello. Si chiamava Bum, ovvero Boomerang, perché riportava indietro qualsiasi cosa gli tirassero, con prontezza e perseveranza.

Un tempo il signor Remo e Bum avevano fatto lunghe passeggiate insieme e conversato del mondo umano e canino, di Cartesio e Rin Tin Tin. C'era grande intesa tra loro. Ma ora non si parlavano più. Il signore stava seduto in poltrona guardando il vuoto e Bum si accucciava ai suoi piedi, guardandolo con smisurato affetto.

Era quello sguardo di assoluta dedizione e totale fiducia che il signor Remo soprattutto detestava.

Il mondo non era che perdita, solitudine e dolore. Che senso aveva in questo pianeta orribile quella creatura incongrua, che scodinzolava e uggiolava di gioia, e riempiva del suo peloso, sovrabbondante amore una casa desolata?

Il padrone iniziò a non dar più da mangiare al cane. Lo lasciava anche due giorni senza cibo. Ma Bum continuava a seguirlo amorosamente. Quando il signor Remo si sedeva a tavola per il suo pasto, il cane non chiedeva nulla, né si avvicinava. Guardava con mite curiosità, e negli occhi aveva scritto: se tu mangi, ebbene anche io mi sazio. E più il padrone si ingozzava, ostentatamente e rumorosamente, più tenero diveniva lo sguardo di Boomerang. E quando finalmente il cane veniva sfamato, non correva frenetico alla ciotola, no... scodinzolava composto e riconoscente come per dire: avrai le tue buone ragioni se mi hai fatto digiunare, ti ringrazio oggi che ti sei ricordato.

Il padrone, forse avvelenato dall'ultima stilla di rimorso, si ammalò. Gli venne la febbre alta e Bum lo vegliò. Nella notte, quasi nel delirio, il signor Remo si destava e vedeva gli occhi spalancati e amorevoli del cane, e le lunghe orecchie dritte, come antenne. E sembrava dire: anche la morte morderò, padrone mio, se si avvicina a te.

Nell'anima ormai riarsa del signor Remo, l'odio per quell'amore smisurato crebbe. Non portò fuori il cane per quattro giorni.

Bum aprì con la zampa la porta del terrazzo e lì pisciò con discrezione. Contrasse il suo metabolismo a venti gocce di urina e un cece fecale ogni due giorni. Non guaì, né diede segni di nervosismo, solo ogni tanto guardava il giardino fuori dalla finestra emettendo un piccolo sbuffo, come un sospiro di nostalgia, ma niente più.

Il padrone guarì e, appena rimessosi in piedi, senza una ragione, tirò un calcio al cane.

Bum si nascose sotto il letto e il signor Remo si vergognò.

Lo chiamò, il cane venne. Il padrone gli fece una carezza falsa e forzata e disse:

– Bum, devo abbandonarti. Mi dispiace. Non riesco più a occuparmi di te. Anzi, ma questo tu non lo puoi capire, ti detesto.

Il cane lo guardò con infinito affetto e dedizione.

Perché non lo affidò a un canile o a qualche conoscente? Per pigrizia, anzitutto. Ma anche perché ricordava una frase della moglie. Gli aveva detto: Remo, se io morissi, mi raccomando, non lasciare solo il nostro Bum.

Allora Remo si era arrabbiato per quella frase: come si poteva dubitare di questo?

E invece, povera Dora, lei conosceva bene il grumo di cattiveria dentro al cuore del marito.

Lei lo aveva abbandonato.

E abbandonando il cane, ora lui si prendeva una folle rivincita sul destino.

Così il signor Remo prese la macchina e portò Boomerang fuori città, in un grande prato dove spesso giocavano insieme.

Il padrone camminava dietro e il cane davanti.

Remo notò la caratteristica camminata aritmica di Bum. Ogni

dodici passi ne zoppicchiava uno, alzando la zampetta posteriore come se il terreno bruciasse.

Spesso lui e la moglie avevano trovato buffa e irresistibile questa andatura.

Ora il padrone guardava ondeggiare il grasso sedere di Bum con disgusto.

Perciò, quando furono lontani da occhi indiscreti, legò il cane a un albero e senza voltarsi se ne andò.

Tornò a casa, e cucinò con cura, come non faceva da tempo.

Calciò la ciotola di Bum in un angolo.

Prese il guinzaglio e la museruola, e li buttò nella spazzatura.

Ma quella notte verso le tre, sentì grattare alla porta. Era Boomerang.

Un po' sporco e bagnato, gli saltò addosso festoso, e fece il giro della casa per manifestare la sua gioia. Non sospettava nulla. Non c'era posto per il tradimento, nel suo cuore semplice e quadrupede.

Il signor Remo quasi non dormì per la rabbia. Sognò massacri di foche e colbacchi di barboncino.

La notte dopo caricò Bum in macchina, percorse cento chilometri di autostrada e abbandonò il cane nel parcheggio di un autogrill.

Tornò indietro e andò al cinema. Vide un film con un mostro preistorico che usciva dai ghiacci e terrorizzava tutta l'America. Notò che, in una scena, il mostro sbatteva la coda proprio come Boomerang. Il mostro fu liquidato a micidiali colpi di missile e di dialogo. Il signor Remo dormì saporitamente. Il giorno dopo al supermercato incontrò una signora, proprietaria della cagnina Tommasina, amica di Boomerang.

– Dov'è Bum?

– Ahimè – disse il signor Remo, e spalancò le braccia. La signora si mise una mano sulla bocca teatralmente. Non chiese nulla, rispettò quel riserbo. Sfiorò con la mano la mano del signore.

– Immagino sia un grande dolore per lei.

– Non sa quanto – rispose il signor Remo.

Tornò a casa. Mentre saliva le scale, sentì un rumore lieve ma inconfondibile. Unghie sul marmo.

Era Boomerang, sul pianerottolo.

Il signore si chiuse in bagno, seduto sul water tutta notte. Attraverso il vetro smerigliato della porta, intravedeva la sagoma inconfondibile di Bum in attesa.

Verso l'alba il cane grattò al vetro, preoccupato.

– Vattene, bastardo – ringhiò l'uomo.

Il cane dimenò la coda. Il suo padrone era vivo, dopo tutto.

Due giorni dopo il signor Remo prese nuovamente la macchina, guidò tutto il giorno e col cane arrivò in riva al mare. Lì salì su un traghetto. Alcuni bambini giocavano con Boomerang, e un signore disse:

– Beato lei che può portarlo in vacanza. Il mio è troppo grosso. Si vede che siete uniti.

– È proprio così – disse il signor Remo.

Era il tramonto. Il signore portò Boomerang sulla spiaggia, e gli tirò un legnetto nel mare.

Bum nuotò, addentò, tornò a riva e naturalmente il padrone non c'era più.

Il signor Remo, sul traghetto del ritorno, tranguiò due cognac ed ebbe la nausea.

Passò una settimana, La signora, che aveva visto tornare Boomerang la prima volta, chiese notizie della nuova sparizione.

– Ahimè, – disse il signor Remo – si era ripreso, poi una ricaduta.

La signora fece una faccia compunta, e anche la cagnina Tommasina versò una lacrima, forse di pena forse di cimurro.

Fu una settimana triste per il signor Remo, ma non certo per la mancanza di Boomerang. Anzi, si accorse che nella casa il tappeto e il divano puzzavano di cane, e li deodorò.

Il signor Remo era triste perché si era rotto il televisore.

Il tecnico finalmente venne.

Armeggiò, parlò del più e del meno, e vide la ciotola di Boomerang.

– Lei ha un cane? – disse.

– Non più.

– Io invece adesso ne ho uno, ed è proprio un problema. Pensi, ero in vacanza al mare. Al ritorno, sul traghetto, un cane grassottello e brutto mi salta dentro la macchina. I miei figli dicono: dai papà, è un cagnolino abbandonato, teniamolo, teniamolo. Sa come sono i bambini...

– Certo – disse il signor Remo.

– Insomma, adesso ce l'ho qui sotto in macchina, cerco qualcuno a cui darlo. Lei non conosce mica nessuno?

– Di che colore è il cane? – chiese il signor Remo con un brivido.

– Nero. Con due orecchie come un pipistrello.

Il tecnico uscì. Il televisore funzionava. Il signor Remo si sedette, ma non guardava lo schermo. Guardava la porta.

Dopo un istante, sentì le unghie raspare.

Al signor Remo tornò in mente un vecchio film della sua infanzia, con sepolti vivi e cadaveri che uscivano dalla tomba. Ma era nulla, in confronto al terrore di quel momento.

Boomerang il dolce zombie era tornato. Ancora più grasso, perché i bambini lo avevano rimpinzato. E lo guardava, con immutato amore, fedeltà e fiducia e altri sentimenti nobili.

– Ma lo vuoi capire che ti ho abbandonato? – urlò il signor Remo.

– Ci sarà un perché. Tu sei il mio saggio padrone, e ti voglio più bene di prima – rispose il cane con l'alfabeto della coda.

Allora il signore preparò un piano perfetto.

Avrebbe cambiato paese, addirittura continente, per un lungo viaggio. Lo rimuginava da tempo. Prelevò i risparmi, si comprò una giacca bianca e un cappello di paglia. Una mattina chiuse a chiave Boomerang in terrazza, e partì.

Prese un aereo e volò quattordici ore.

Quando scese dall'aereo, già si sentiva diverso e tropicale. Al ritiro bagagli si mise accanto a una ragazza abbronzata e le sorrise.

Sì, era lontano, lontano da tutto. Odore di mare e sole, non di cane.

Fu allora che si accorse di una strana scena.

Una signora stava piangendo tra due poliziotti. Indicava una gabbia per cani, appena sbarcata dall'aereo.

– Ma non è possibile! – gridava con voce stridula – dov'è il mio Rufus?

– Signora, si calmi – diceva un poliziotto grattandosi la testa. – Non può essere successo quello che lei dice...

Incuriosito, il signor Remo si avvicinò.

Sentì il poliziotto che parlava con l'addetto ai bagagli smarriti.

– È accaduto qualcosa di molto strano. La signora ha inviato regolarmente il suo cane, in una gabbia nella stiva. Ma adesso dice che quello non è il suo animale.

– Impossibile...

– Il mio cane è un setter irlandese, – disse la signora piangendo – questo è un botolo grasso e orrendo. Mi ricordo benissimo che, alla partenza, stava girando libero per l'aeroporto.

– Vuole dire, signora, che qualcuno le ha sostituito il cane?

– Ma sì – rise l'addetto ai bagagli – ...oppure il botolo ha aperto la gabbietta e si è sostituito al suo.

– Non faccia l'ironico, – disse la signora – lei non sa quanto sono intelligenti i cani!

Il signor Remo non aspettò che la gabbia venisse aperta. Di corsa, trascinando la valigia a rotelle, scappò per i corridoi dell'aeroporto, e sentì alle spalle il galoppo frenetico di Boomerang che lo inseguiva. Al volo salì sul taxi e disse:

– All'Hotel Tropicana, subito, di corsa.

– Non posso, señor – disse il tassista. – Davanti all'auto c'è un brutto cane sdraiato che non mi fa passare.

Il signor Remo salì nella sua camera, all'ultimo piano dell'hotel. Aprì il finestrone della terrazza. Boomerang annusava la moquette, soddisfatto.

Il signor Remo si tolse la giacca bianca e il cappello.

Guardò il mare e l'orizzonte lontano.

Prese la rincorsa e saltò.

L'ultima cosa che vide fu Boomerang, grasso e compatto come un proiettile, che precipitava al suo fianco, con uno sguardo di adorazione. Un gioco nuovo, padrone?

La stampa locale dedicò anche un titolo alla triste e commovente storia.

Li seppellirono insieme.

MAI PIÙ SOLO

Se sono solo, è colpa dei cinesi.

Cominciò tutto quando chiuse il verduraio sotto casa mia.

Disse che con tutti quei cinesi e pakistani facce da pesce che vendevano le zucchine marce e l'insalata dei cimiteri non c'era più lavoro. Troppa concorrenza.

Così chiuse.

E la serranda si riempì di graffiti e scritte fatte dalla teppa del quartiere.

Una diceva:

RIDI DI PIÙ, PIANGI DI PIÙ.

Teppa stronza e filosofa. Mica posso piangere e ridere in mezzo alla strada, la gente vuol parlare.

E se nessuno ti parla, allora ti tocca pensare. E io non facevo altro, allora. Pensavo tanto che mi faceva male la gola, perché è lì che si fermano le tristezze.

Pensavo che ero solo.

Che non avevo uno straccio di donna, un sorriso, una voce, un culo, mai. E anche pochi amici.

Un mezzo amico, che aveva sempre mal di stomaco.

Forse perché sono brutto e ho il naso grosso. Non come un pugile, che ce l'ha rotto e fa sexy. No, proprio rotondo come un tappo di spumante. E poi ho molti capelli, ma non lisci e spettinabili come quelli della pubblicità. Crespi come una pecora. E la pelle un po' rossa, come se avessi freddo. Anche d'estate.

E parlo poco.

E non so raccontare le barzellette.

E faccio un lavoro di merda, magazziniere in un deposito di medicinali.

Guardiano di aspirine.

E vado dal barbiere ogni domenica perché non so cosa fare.

E non sa cosa fare neanche lui, con questa lana di pecora, la taglia e la stira e la pettina ma sempre pecora resta.

E mi faccio fare la barba, che ne ho poca.

Vado da tre barbieri diversi, così non mi possono dire: "Ancora qui, ma lei non ha mai un cazzo da fare la domenica?".

E guardo la televisione ma non tengo per nessuna squadra, faccio finta di essere della Juventus, ma se perde non soffro.

Soffro un po' per la Iris.

La Iris è la barista del Mocabar, è piccolina bionda e rosea, ha la bocca carnosa e porta sempre quei jeans bassi che quando si gira si vede il filino del culo, e anche se ha un po' di abbondanza sui fianchi, a me fa impazzire.

Ma non mi sorride mai.

Sorride a tanti clienti, ma a me niente. Professionale, mi fa il cappuccino e basta.

Quindi io non ho mai preso l'iniziativa perché non saprei da dove iniziare.

E così mi faccio delle gran seghe. Uno squasso di seghe. Coi film che fanno a mezzanotte su una tv locale e con Playboy Ragazza del mese e qualche volta con dei fumetti di Satanik che ho ancora dai tempi del militare.

Non ho il coraggio di comprare dei porno. Neanche all'edicola. E poi cosa cambierebbe, sempre sega è.

Ma non sono tutto da buttare. Ho una casa, ereditata ma comoda, un cuore appassionato, un'anima quasi pura. Leggo libri, tanti libri, specialmente di storia. Le campagne di guerra, perché mi piacciono i condottieri come Napoleone o Nelson. Loro, sostiene qualcuno, sono sempre soli. Ma mica soli come me. Si allontanano dalla gente, vanno in cima al monte o a prua della nave e la gente li guarda e dice: guardalo, così grande e così solo. Poi tornano e comandano centomila uomini, cento navi. E hanno un sacco di amanti. Napoleone si eccitava se Giuseppina non si lavava. Io la Iris la prenderei anche un po' impuzzonita, ma tanto non si fa prendere.

Insomma, la colpa fu dei cinesi che fecero chiudere il verduraio.

E nel negozio facevano i lavori e io sbirciavo.

E dopo neanche un mese, al suo posto c'era un negozio di telefonini.

Millevoci si chiamava, proprio così. Quando lo vidi restai senza fiato. Era troppo bello per il quartiere. C'erano telefonini di tutti i colori, come insetti, cimici verdi e scarafaggi neri, e anche biscottini grigi e saponette rosse. E accessori, fili, cuffie, custodie di perline e leopardate.

Ma soprattutto c'erano le commesse. Due belle brunette quasi gemelle, con la divisa fucsia, e il rossetto fucsia. Una più cordiale la chiamai subito Amarena, l'altra più seria la chiamai Marasca. Sorridenti, efficienti e seducenti. Dopo due giorni conoscevano già tutti.

Io che sono timido mi aggiravo nei pressi e ammiravo un po' loro, un po' il negozio.

E una mattina vidi in vetrina una pubblicità che mi cambiò la vita.

C'era una gnoccona della tivù, che mi ci ero ispirato per una sega due notti prima. Era sdraiata in bikini su una spiaggia col mare che sembrava cristallo. E telefonava da un cellulare giallo che brillava di una luce accecante. E la scritta diceva:

SOLE, MAI PIÙ SOLI.

Sole era la marca del telefonino, Sole SS300, nuovo modello Densetsu, cinesi o giapponesi musi di pesce anche loro.

La gnoccona telefonava e dietro a lei sul bagnasciuga c'erano venti, trenta ragazzi e ragazze, la sua compagnia di amici che la aspettava, tutti col cellulare e i capelli lisci.

Io non avevo mai avuto un cellulare. Non ne avevo bisogno, ho il telefono del magazzino e anche uno a casa, vecchio con la rotella bucata che il dito ci si incastra dentro.

Ma soprattutto non mi telefonava mai nessuno.

Non avevo mai pensato di essere uno da cellulare.

Però poi vidi quelle due ragazze attraverso la vetrina e Amarena mi sorrise. Anzi, non solo mi sorrise, ma venne fuori e disse:

– Vuol vedere le nostre occasioni?

"Occasioni", proprio così disse.

Probabilmente era un momento morto, non passava nessun cliente, però lei uscì per me e chiese se mi interessavano le sue occasioni.

E profumava di sali da bagno e aveva la bocca umida e parlava in fretta e bene, si vedeva che sapeva a memoria. Mi spiegava le tariffe e i relativi vantaggi, gli optional e anche quanti essemmeesse avrei potuto fare, mille e più di mille, e io, che allora non sapevo cosa erano, ascoltavo a bocca aperta, mille essemmeesse, cazzo, e facevo delle fantasie.

Intanto le guardavo la bocca, mentre continuava a sorridermi e mi trattava proprio come se fossi uno da cellulare. Mi spiegava:

– Certo, bisogna scegliere: se lei pensa di avere più traffico sul lavoro, oppure se telefona di più agli amici, oppure soprattutto a una sola persona, la fidanzata, la mamma...

E mi trattava come uno che poteva avere la fidanzata e la mamma.

Cioè la mamma, passi, ce l'avevo avuta, pace all'anima sua, ma lei pensava che io potessi avere anche la fidanzata.

E mentre sorridevo e annuivo entrarono altri due clienti, una giovane coppia, e si interessarono anche loro alla spiegazione, insomma eravamo un gruppo di gente da cellulare e la ragazza della coppia disse al ragazzo: – Dopo vorrei vedere il modello del signore.

Ero un signore con un modello che faceva voglia a una ragazza.

Allora dissi tutto d'un fiato ad Amarena che mi aveva convinto, volevo il telefono Sole SS300.

Perché Sole mai più soli.

E lei disse: – È proprio l'ultima novità, però non ce l'ho giallo oro, ce l'ho rosso.

– Come il sole del tramonto – dissi io.

E lei sorrise, e anche Marasca. Avevo fatto una battuta.

Così scelgo la tariffa "tre per uno", che non so cos'è ma mi piace il nome un po' da orgia.

Poi firmo un sacco di moduli fornendo i miei dati e le gemelle fucsia mi stanno intorno. E mi dicono "firmi qui, sia paziente, una sigla anche qui", ed è come se fossimo già amici.

Mi ritrovo fuori in strada con quello scarafaggio rosso in mano. E la scatola con gli accessori e il libretto di istruzioni. Vado al bar, a esaminare tutto.

E qua arriva il primo segno che la mia vita è cambiata.

Arriva Iris. Con i suoi jeans malandrini e l'ombelico particolarmente espressivo. Sparecchia un tavolo, poi spalanca gli occhi e mi dice:

– Bello quello, è il Sole SS300, vero? Ha anche la fotocamera?

– Credo di no – rispondo quasi senza fiato.

– Io c'ho il modello vecchio, – dice lei – me lo fa vedere?

E io glielo metto in mano e penso subito: mi ha fregato, adesso scappa via col telefonino, molla bar lavoro e tutto. Invece lei con mano esperta lo tasta, gli fa emettere due o tre gridolini di gioia e dice:

– Ha il bluetooth.

– Eh sì – dico io.

– Bello. Per il mio compleanno forse il mio ragasso me lo compra.

E si gira e mi fa vedere il filino, e dovrei essere triste per quella citazione del ragasso, invece sono felice perché mi ha parlato. Come fossimo diventati intimi. Tutti e due sulla spiaggia del Sole mai più soli.

Cammino verso il lavoro e mi sento diverso, sento un piccolo peso rassicurante nella tasca. Vedo altri che passeggiano col telefonino all'orecchio e parlano. Anche io vorrei, ma nessuno mi chiama.

Nessuno mi chiama perché l'ho comprato oggi!, vorrei gridare a tutti.

Comunque ce l'ho. E lo tiro fuori facendo finta di controllare il campo.

Ho imparato che si dice così. I telefonini, come i contadini, hanno il campo.

E quando ho il Sole in mano, noto nello sguardo degli altri una dolcezza inattesa, una nuova familiarità. Una vicinanza. La vicinanza tra utenti. E quando arrivo al magazzino c'è seduto fuori Barbieri, la guardia giurata con baffoni divisa e pistola, un rozzo che mi prende sempre in giro.

Sta per aprire bocca, magari per la solita battuta del cazzo, ma io tiro fuori di tasca il telefonino.

Resta un momento basito.

– Allora ti sei deciso – dice.

– Beh, era un'occasione – dico io. – Ha anche il bluetooth.

– Per certe cose è utile. Io ce l'ho che, volendo, potrei vedere anche le partite.

E tira fuori un biscottone nero con uno schermo doppio del mio. Figuriamoci: Barbieri ce l'ha sempre più lungo. Ma almeno oggi non mi ha preso in giro. E quando esco, mi saluta.

Passano due intensi giorni.

Anche la Iris adesso mi saluta, ma non mi basta, devo sfruttare il momento, devo progettare la mia nuova vita. Va bene, ho un telefonino, ma nessuno che mi chiami. Ho dato il mio numero a

Barbieri. A uno zio, a Campobasso. E a Gigio, quello che ha sempre il mal di stomaco.

Barbieri mi ha mandato un messaggio con le lettere quasi illeggibili e la scritta:

SEMBRA CHE PRENDERLO NEL CULO FACCIA CALARE LA VISTA.

Non è proprio una gran comunicazione, ma è il primo essemmeesse che ricevo e gli rispondo:

GRAZIE.

Lo zio di Campobasso non chiama. Gigio neanche.

Così sono ripassato davanti alla vetrina del negozio Millevoci a guardare le novità, e da dentro Amarena mi ha riconosciuto, mi ha fatto segno di entrare.

– Come va il telefonino? – ha chiesto.

– Benissimo.

E in quel momento, il miracolo. Una musica nella mia tasca. Bellissima. Armoniosa.

– Non risponde? – dice Amarena.

– In che senso?

– Il suo telefonino sta suonando...

– Certo, certo – dico io.

È uno che ha sbagliato numero. Non importa, si figuri, vorrei dirgli, chiami pure quando vuole.

– È uno che ha sbagliato numero – dico.

– Succede – dice Amarena. – Ma cosa c'è, forse non le piace la suoneria?

Mica posso dirle che non l'avevo mai sentita.

– No, in effetti è un po'... classica – dico subito. – Io ne vorrei una più moderna. Posso comprarla qui?

– Non la deve comprare, signore. Il suo telefono ha sessanta tipi diversi di suoneria. Vuole che la scegliamo insieme?

Ed eccomi lì vicino a lei, a un palmo dal suo profilo di bambolina, alle dita esperte che corrono sui tasti.

– Ecco, sente questa? Si chiama Oblivion, è un valzer.

Balliamo?, vorrei dirle, ma non ho il coraggio.

– Oppure questa, si chiama Jungle fever. Oppure Arabian night. Le piace Arabian night? A me piace questa. Si chiama Riff raff. Non è buffa?

È un rumore come un lamento di topo.
– Questa va bene – dico.

Passa una settimana e studio seriamente, ora so tutto del telefonino, ogni sera leggo e rileggo il libretto delle istruzioni, ho messo sul display l'ora, la data e due pesci rossi, ho la risposta con qualsiasi tasto e anche l'informazione microcella, che non so cos'è ma mi garba. Cambio la suoneria ogni giorno, so usare la rubrica, anche se ho pochi nomi, c'ho messo i barbieri e l'aeroporto e la guardia medica e anche tre nomi a caso presi dall'elenco. Telefono spesso a Gigio per chiedere come sta. Ho mandato a Barbieri un essemmeesse

SONO IN RITARDO

e lui mi ha risposto

FORSE SEI INCINTA.

Non l'ho capita.
Però adesso mi saluta e mi ha fatto vedere la sua pistola, spiegandomi che spara sedici colpi e sfonda una lastra di acciaio a venti metri.
Posso dire che ho un nuovo amico, stronzo ma amico.
Però il problema è il solito: nessuno mi telefona.
Allora, dopo aver rimuginato tutta una mattina smistando del Maalox e del Tavor, mi viene una grande idea.
L'idea che cambierà la mia vita sociale e amorosa.
Finito il lavoro vado in centro, nella zona pedonale. Passeggio, aspettando qualcuno che stia telefonando. Eccolo lì, è un uomo distinto col cappotto cosiddetto loden, e appena mi incrocia io tiro fuori di colpo il telefonino. E mi metto a parlare, fingo di conversare con qualcuno. Mi fermo proprio in mezzo al passeggio. Davanti a me anche il loden si è fermato e gesticola. Siamo uguali simmetrici e telefonanti. E all'improvviso Loden mi fa un gesto come a dire, che palle questa telefonata. E io ricambio il gesto, che palle anche la mia.
Non è singolare e meraviglioso?
Ho fatto amicizia con uno che neanche conosco. Un minuto fa eravamo due estranei. E ora sto fantasticando su chi era la persona che lo infastidiva, magari un collega tonto, o un amico col mal di stomaco, o una donna bellissima.

Cammino fino a tarda sera, tra le vetrine illuminate, noto che ci sono Millevoci dappertutto, e telefono in continuazione, a voce alta.

– Ingegnere, adesso sono per strada, non ho tempo...
– Carla no, stasera proprio non posso.
– Barbieri non si permetta, lei è un cafone!
– Prendi un Maalox e poi vai a letto e non mi scocciare più.
– Certo, ma il calcio di rigore non c'era...

Svario da argomento ad argomento, ora scherzoso, ora severo.

Inutile dire che tutti mi guardano, captano le mie frasi, e vedo nei loro occhi una sfumatura di ammirazione: quanto è impegnato questo signore, è sempre al telefono, quante donne, quanti amici, e in quanto al calcio di rigore, anche secondo me non c'era.

È una nuova vita.

La settimana prima ero un uomo solo, a testa bassa nel traffico, ora sono un uomo che parla indaffarato, che parla d'amore e di calcio e di varie.

Mai più solo, con Sole.

Mi specializzo in due o tre tipi di telefonate.

Al Mocabar entro come se stessi conversando con una donna, sussurro a voce bassa, rido. Iris fa finta di niente, ma mi sa che è gelosa. Tant'è, prima mi faceva sempre aspettare, adesso mi serve il cappuccino subito.

Una volta mi ha fatto anche un'aggiunta di panna che io non avevo chiesto.

Vado forte con lei.

Invece al magazzino ogni tanto, a voce alta, dico:

– Per favore, cara, non chiamarmi sul lavoro.

Barbieri non mi prende più in giro. Mi ha anche invitato a sparare insieme a lui al poligono. E io gli ho insegnato come mettere su la suoneria Fanfara dei bersaglieri.

Quando torno a casa, dopo cena, prima di andare a dormire ogni tanto vado alla finestra, telefono e rido. La gente passa e guarda su.

Ma non mi basta.

Vorrei essere guardato di più. Ho notato che molti hanno due telefonini. E al Millevoci c'è una grande offerta. Sconti su tutto. Tariffe da sogno.

Entro deciso, si vede che sono già del settore. Viene Marasca, addolcita.

– Vorrei un altro telefonino, – dico con sicurezza – ho pensato che mi serve.

– Certo, capisco – dice lei. – Uno per il lavoro, uno per il privato.

E quando dice "privato", sbatte le ciglia.

Amarena forse è più dolce, mi sorride da lontano, sta parlando con una vecchietta inesperta di telefonini, che pena. Marasca è meno fine, ma ha due gran poppe e l'occhio torbido. E il rossetto scuro, da vampira.

Però anche lei sa tutto bene a memoria. Mi mostra dieci telefonini, uno più vezzoso dell'altro. Ne scelgo uno nero, con la macchina fotografica. Nuove carte, nuove firme, nuove istruzioni.

E poi vado al bar della Iris e sbatto due telefonini sul tavolo.

E lei dice: – Accidenti, ma quello ha la fotocamera.

E io subito, senza neanche pensarci, la fotografo. E lei non dice nulla, ride.

Adesso lei è mia, nel mio archivio, nella cornice del mio schermetto. A uso sega? No. No, sono un uomo nuovo adesso. Sento che un giorno avrò un archivio di cento, mille bariste. Tutte amiche, o amanti.

Ma la mattina dopo succede qualcosa di imprevisto. Entro al lavoro recitando la telefonata con la misteriosa importunatrice e Barbieri, che ha i coglioni girati, mi dice:

– I casi sono due. O conosci la più gran rompiballe del mondo, o fai finta di telefonare.

Non credo lo pensi davvero. Ma la paura di essere smascherato mi agita, e la sera stessa trovo una soluzione geniale. Dovevo pensarci prima. Col telefono nero posso telefonare a quello rosso! Da me a io. Quindi preparo una chiamata rapida sul nero, premo il tasto con la mano in tasca e il rosso suona, con la suoneria al massimo, e tutti si voltano. Potete dubitare? C'è qualcuno che mi chiama davvero, ora!

È una settimana trionfale. Faccio suonare il cellulare dappertutto. Per strada, in autobus, sul lavoro, bombardo Barbieri di Riff raff e Oblivion. Lo faccio suonare anche in chiesa, e una vecchietta mi rimprovera.

– Scusi, le spiego, è la mia vecchia mamma, se non rispondo si preoccupa.

– Allora faccia pure – dice lei.

E nel silenzio di una antica piazza, la sera, risuona il mio Jungle fever, e tutti mi guardano, poi scatto una foto al tramonto. E il telefono suona, suona. Anche di notte, per i miei vicini di casa. Sono un uomo impegnato a ogni ora.

Ma un giorno ne succede una brutta. Armeggiando tra tasca e tasca, uno dei telefonini cade. Si rompe il display.

Compro altri due telefonini di scorta. E faccio riparare l'altro, e sono quattro.

Quattro pronti a colpire, il doppio di un pistolero. Posso addirittura farne squillare due insieme e simulare una comica confusione.

Ma voglio di più.

Ho deciso che stasera chiederò alla Iris di uscire, ragasso o no.

Il mio piano è preciso. Faccio suonare il nero e sgrido Barbieri. Poi faccio suonare il rosso e litigo con una tale Cinzia. Poi dico a Iris, beh, mi si è liberata la serata, vuoi consolarmi tu? Ti faccio vedere che foto fa il Sole Black 123. Come si può dire di no a un uomo con quattro cellulari che squillano sempre, così sicuro, erotico e utente?

Ma per Iris ci vuole un tocco speciale. Un nuovo telefonino. Ne ho visto uno palmare che sembra un computer e ha la suoneria personalizzata, posso metterci anche il Nabucco o Ramassotti, che è il cantante preferito di Iris. Entro. C'è molta gente. Amarena mi guarda in modo strano, mi saluta appena. Aspetto in fila. Sorrido a Marasca, ma lei resta seria, parla con un neocellularista goffo. Certo, dovrebbero mettere più personale, dico a una signora davanti a me. Un'ora, per avere un numero nuovo, risponde lei. Non me ne parli, interviene un signore, a me l'hanno rubato, per avere il vecchio numero è un tormento. Si figuri, io ho quattro numeri, è un casino. Ma lei ha la tariffa office o la business? E il roaming per l'estero?

Discorsi tra eletti. Tra noi, collegati da un sogno.

Finalmente arrivo davanti ad Amarena. E fingo una telefonata.

– Guarda Cinzia, non è il momento di parlarne... sono al Millevoci, mi sto comprando un telefonino nuovo... non lo so se ti do il numero, dai, taglia corto...

Interrompo la comunicazione di colpo, e dico:

– Scusi, ma stamattina è un tormento.

Amarena mi guarda fissa negli occhi. Non mi piace quello sguardo. Era lo sguardo di Iris, prima che la mia vita cambiasse.

– Strano, signore, che le suoni il telefono, – dice fredda – perché quel numero dovrebbe essere bloccato.

– Bloccato? Scherza?

– No, signore. Lei non ha ancora pagato la prima bolletta. Millecentododici euro. La sua carta di credito è scoperta, ho la segnalazione qui sul computer. I suoi quattro numeri sono bloccati. Perciò non posso certo dargliene uno nuovo.

Mi accorgo solo ora che nella mia trionfale estasi ho dilapidato una cifra, non controllo il conto della banca da un mese. Telefonini, canoni, tasse. E anche telefonando da me a io si può pagare una superbolletta. Ho commesso un errore.

– Ne parlerò con la mia segretaria, è incredibile – balbetto. Ed esco.

Ma dietro le spalle sento la voce di un uomo:

– Incredibile, si comprano quattro telefonini e poi non hanno i soldi per mantenerli.

– Come i figli – dice la vecchietta, brutta rimbambita.

Mi allontano e mi sembra di sentire la risata beffarda di Amarena.

Forse sta dicendo ai clienti: vi svelo un segreto. Volete sapere cosa risulta dalla sua bolletta? Sapete cosa faceva?

Ah, il masturbatore telefonico! L'autochiamante! La tariffa scs, sfigato-chiama-sfigato! E ha anche i capelli da pecora!... E giù risate...

Torno indietro, spio dalla vetrina.

No, nessuno ride.

Oppure mi hanno visto, e hanno smesso.

Ecco com'è andata, dottore.

Da quel giorno non ho più dormito. Vagavo per casa, di notte. Guardavo i miei telefonini muti, inutili. Non avrebbero suonato mai più.

Ero di nuovo solo.

Lei dice che anche prima ero solo, nessuno mi telefonava, era tutta una commedia.

No, prima era diverso.

Ero uno del gruppo, prima, commedia o no.

È crudele essere soli, ma è ancora più crudele ritornare soli, dottore.

Quindi ieri mattina sono andato al lavoro. Ho aspettato che Barbieri andasse al gabinetto, so che lascia la pistola e la giacca su una sedia.

Ho preso la pistola.

Poi sono andato al Millevoci.

No, non volevo rapinarlo. Volevo solo vendicarmi.

Ho sparato nella vetrina. Sui telefonini più belli. Cinque, sei colpi, credo. Tutto in pezzi, vetrina e cellulari, e Amarena urlava. Peggio per te, traditrice, infingarda.

Poi sono andato al bar. Volevo far paura a Iris. Ma non c'era quella troietta, era di riposo.

Ho sparato al flipper, al televisore e alla macchina dei gelati.

Poi sono uscito e, giuro, volevo venire da lei dottore, volevo venire in questura a costituirmi.

Ma ho visto quei due. Due cinesi. Giapponesi lei dice, beh, è lo stesso. Il loro cellulare ha squillato, era minuscolo ma vivo, e l'uomo si è messo a parlare in giapponese. Poi ha passato il telefonino alla donna e anche lei si è messa a parlare.

A me non telefona mai nessuno, e a loro dalla Cina.

E la colpa è loro, che hanno fatto chiudere il verduraio e così è arrivato Millevoci.

E ridevano.

Siccome non capisco il cinese, forse ridevano di me.

Allora ho sparato, dottore.

Non volevo, ma ho sparato.

Lo so che ha un buco in pancia, ma è un giapponese, si può sempre riparare, no?

Non mi guardi così.

Scusi, ma quello lì sul tavolo non è il Sole Wsb, quello con internet e le partite di calcio in diretta?

È suo? Posso vederlo?

LO SCIENZIATO

C'era uno scienziato assai ambizioso e infelice. Era etnologo sociologo criminologo biologo psicologo etologo allologo, e vantava un notevole curriculum. Aveva ad esempio fondato l'antropocinosimmetria, scienza che studiava le somiglianze tra cane e padrone, aveva scoperto una tribù antropofaga amazzonica che si cibava solo di alluci, aveva individuato il cromosoma dell'ateismo, aveva inventato un'automobile a saliva e scoperto che Gesù aveva dodici figli.

Non c'era trasmissione televisiva in cui non fosse apparso.

Ma, ahimè, questo non gli era bastato per vincere il premio a cui ambiva, il SuperNobel.

Allora decise che avrebbe fatto qualcosa di unico: qualcosa che solo lui poteva progettare, sperimentare e tradurre in teoria.

Avrebbe scoperto l'uomo più solo del mondo.

Perciò, dopo essersi a lungo documentato e preparato, partì.

Si recò in un piccolo paese di montagna, abbandonato da tutti dopo un terremoto. Qui viveva da tempo immemorabile un uomo di centodue anni che si era rifiutato di lasciare la sua abitazione.

Con soddisfazione, lo scienziato guidò la jeep per chilometri di tornanti senza incontrare anima viva. Finché, tra abitazioni crollate e diroccate, vide la piccola casa del centenario.

L'uomo era naturalmente solo e si stava preparando un frugale pasto a base di sofficini.

– Caro signore, – disse lo scienziato – immagino che lei sia molto solo e non veda nessuno da molto tempo.

– Eh, proprio così – rispose l'uomo.

– Da quanto? Riesce a ricordare?

L'uomo socchiuse gli occhi in una ragnatela di rughe.

– Beh, Rai tre è arrivata il Natale scorso. Sì, prima del giornalista francese e di Mediaset. Ma sono vecchio e non ricordo bene. Però se vuole può consultare il mio sito internet, *www.solosulmonte.org*. Lo tiene mio nipote, ci sono tutti i filmati e le interviste sulla solitudine che ho concesso negli ultimi dieci anni.

– Porca la mamma di Newton – disse lo scienziato, e se ne andò arrabbiato.

Prese un aereo verso un'isola dove, in zona impervia, viveva un pastore. A detta di tutti, l'ultimo uomo che sopravviveva in quella solitaria landa.

Lo trovò in un ovile assai rozzo, tra pecore, cani e giornali porno.

– O pastore, – gli chiese – da molto vive solo in questa bicocca?

– Molto tempo – disse il pastore.

– E le piace?

– Mica tanto. Ma non si spaventi, questa è solo la reception, serve per il folklore. Il resto dell'agriturismo è molto meglio, ho le docce e il frigo in ogni camera. Le va del porcetto arrosto per stasera?

– Porca la mamma di Galilei – disse lo scienziato.

Senza perdersi d'animo, volò nel cuore dell'Amazzonia. Qua, come risultava dai suoi studi, viveva un indigeno della tribù degli Osvaldos, unico superstite di un'etnia distrutta dalla deforestazione, dall'inquinamento e dall'abuso di fernet portato dalla civiltà.

Dopo una faticosa marcia nella giungla, aprendosi la via a colpi di machete, arrivò alla capanna dell'Osvaldo.

L'uomo stava costruendo un rudimentale sassofono con un anaconda.

– Mettiamo subito le cose in chiaro, – disse lo scienziato – lei è solo qui?

– Solissimo.

– La sua tribù è stata sterminata e lei è l'ultimo esemplare?

– È così, purtroppo.

– Perfetto. Ora posso farle qualche fotografia?

– Prego – disse l'indigeno.

Ma al lampo del flash, spaventati, almeno altri venti Osvaldos, piccoli e grandi, sbucarono correndo da ogni parte.

– E questi chi sono?

– La prego, – disse l'Osvaldo piangendo – non dica che ci ha visti. In quanto unico e ultimo, sono protetto dalla legge. Ma se imparano che siamo ancora una tribù numerosa torneranno a tagliare i nostri alberi e a inquinarci l'acqua. Abbiamo finto di essere estinti per non estinguerci del tutto.

– Porca la mamma di Humboldt – disse lo scienziato.

Cambiò continente e si recò in Tibet sulle sacre montagne di Kunlun, dove viveva un uomo chiamato la Luce solitaria.

Scalò la montagna fino al monastero delle Diecimila candele. Qui il guardiano dei monaci gli mostrò lo sperone di roccia dove viveva il saggio Mukpo, la Luce solitaria. Vi si accedeva solo mediante una cesta di paglia, sospesa a una corda tesa su un abisso di duemila metri.

– Il maestro Mukpo vive là da solo?

– Solissimo. Gli passiamo le provviste una volta alla settimana, con la cesta.

– Posso andare a trovarlo?

– Assolutamente no, – disse il monaco guardiano – la Luce solitaria deve meditare in silenzio e tranquillità.

– Posso pagare cinquemila dollari.

– Beh, – disse il monaco – in questo caso... Su, salga nella cesta.

Lo scienziato viaggiò dondolando nel gelo e nel vento sopra l'orrido abisso, finché giunse al nido d'aquila ove abitava la Luce solitaria. Un minuscolo tempio scavato nella parete di roccia a strapiombo.

Entrò. La Luce solitaria meditava su un tappeto rosso, circondato da migliaia di moccoli.

– O saggio Mukpo, – disse lo scienziato – lei è solo?

– L'uomo saggio è sempre solo – rispose il monaco.

– Certo. Ma voglio dire, non vede nessuno da molto tempo?

– Qui, come lei ha verificato, è assai difficile arrivare...

– Credo proprio di aver trovato ciò che cercavo. Posso farle una foto?

– Certo. Dopo la lezione di meditazione, però.

– La lezione?

Una porta del tempietto si aprì ed entrarono sei hippy americani, un ex manager pentito, due giapponesi ed Elvis Presley molto invecchiato.

– Ma che ci fanno costoro qui? – disse lo scienziato sorpreso.

– Lei crede di essere il solo a poter spendere cinquemila dollari? – disse la Luce solitaria.

– Porca la mamma di Edison – disse lo scienziato.

Scese dalle vette tibetane e dopo lungo viaggio arrivò nei pressi dell'Isola Fardeall, detta l'isola delle bufere. Qua, in mezzo a un mare tempestoso e ostile, vigilava il faro più isolato del mondo. Chi poteva essere più solo del suo guardiano?

La nave fece naufragio, lo scienziato lottò contro i flutti e stremato raggiunse la riva.

Camminò fino alla cima della scogliera.

Sulla porta del faro c'erano un telefono e una scritta:

Gentile naufrago. Questo faro è a elevato grado di automatizzazione ed è comandato a distanza. In caso di cattivo funzionamento chiami il 32444432 di Aberdeen, Centro assistenza fari solitari, una nostra barca arriverà a ripararlo entro una settimana.

– Porca la mamma di Cousteau – disse lo scienziato.

Dopo una settimana di cozze e diarrea, fu recuperato e riportato in patria. Ma non si diede per vinto. Aveva in serbo l'arma segreta, l'ultimo tentativo.

Sapeva che un suo compagno di Università, il timido dottor Tenia, si trovava in una base artica da ben vent'anni, per una ricerca sulle danze degli orsi polari. I soldi per la ricerca erano finiti e il dottore era stato abbandonato lì. Ogni anno lui e Tenia si scambiavano gli auguri di Natale. Perciò era sicuro che da vent'anni nessuno era arrivato in quella zona desolata.

Dopo molti giorni di slitta, giunse a un capannone in mezzo a un mare di ghiaccio.

Inutile dire che Tenia gli buttò le braccia al collo, quasi piangendo.

– Mio vecchio compagno, – disse – non sai che piacere mi fa vederti.

– Perché sei stato molto solo, vero? – disse lo scienziato.

– Incredibilmente, continuamente, terribilmente solo, vent'anni di solitudine solinga e solitaria, nessuno al mondo è stato più solo di me.

– Perfetto, – disse lo scienziato – posso registrare la tua storia e farti una foto?

– Come no!

Ma in quel momento la porta del capannone si aprì e dal nevischio ululante sbucò una gigantesca sagoma in tuta termica.

Dalla tuta uscì un uomo biondo e muscoloso, occhi azzurri e sorriso smagliante.

– Ti presento il dottor Dimitri Dyachov. È arrivato da una settimana, lavora a due miglia da qui, in un laboratorio che ricerca il petrolio sotto il ghiaccio. Non puoi immaginare quanto ci teniamo compagnia.

– Posso usare tua doccia? – disse il gigante sovietico.

– Vai pure, Didi – disse il dottor Tenia, e quando l'uomo si allontanò, spiegò sottovoce: – Vedi, amico mio, lui è uno scienziato bravissimo... ed è anche un uomo colto e gioviale e poi... insomma, non posso nascondertelo... è gay come me!

– Ah – disse lo scienziato.

– Non puoi capire come sono felice! – disse il dottor Tenia baciandolo e abbracciandolo.

– Porca la mamma di Amundsen – disse lo scienziato.

Lo scienziato tornò a casa, dopo tanti mesi.

Nessuno gli venne incontro, viveva solo.

Vuotò la cassetta della posta: solo bollette, nessuno gli aveva scritto.

In frigorifero non aveva neanche un pezzo di formaggio, solo pane raffermo. Tutto era pieno di ragnatele.

Si sedette su una sedia, mangiò un panino con le ragnatele e all'improvviso ebbe un'intuizione.

– Ma certo! La mia ricerca non è stata vana! Ho verificato una cosa strabiliante! *Nessun uomo è solo!* Per quanto isolato e reietto e romito, non può essere solo. Quindi ne deriva che *l'uomo più solo del mondo non esiste.* È una scoperta scientifica straordinaria!

Questa rivelazione lo mise in uno stato di febbrile agitazione.

Pensò di telefonare a qualche collega, ma non si fidava.

Pensò di telefonare a qualche amico, ma non ne aveva.

E neanche parenti. In quanto ai vicini, non sapeva neanche chi fossero.

Che iella, pensò, ho appena scoperto che l'uomo più solo del mondo non esiste e non ho nessuno a cui dirlo.

E così buttò giù un po' di appunti e andò a letto.

Solo.

L'ORCO

Nella sala dell'aeroporto grande e azzurra come l'anticamera del paradiso, tre passeggeri seduti e silenziosi mangiavano un gelato.

Il bambino, un mucchio di ossicini con occhi da lemure, leccava il cono con aria incantata, lo sguardo nel vuoto, dondolando i piedi. Calzava scarpe da ginnastica il doppio della sua misura. Crema e panna.

La bambina, bionda e col viso adulto, rodeva il gelato a piccoli morsi e si guardava intorno a scatti, come un animale pronto a difendere il cibo dai nemici. Panna e cioccolato.

Tra i due un uomo gigantesco e obeso, con un colbacco e una giacca a quadretti da venditore di palloncini, consumava il gelato con metodo, scegliendo i sapori col cucchiaino. Di tanto in tanto si passava la mano sul doppio mento, dove colava un po' di sugo rosso.

Amarena, mirtillo e fragola.

Una coppia di viaggiatori con una samsonite grande come una bara passò facendo cigolare il carrello e sorrise allo strano terzetto.

Il bambino rimase con gli occhi fissi nel vuoto, la bambina guardò con curiosità, il gigante accennò un sorriso sotto i baffi da gatto.

Quando l'operazione gelato fu terminata, una voce annunciò un aereo in partenza e un altro in arrivo, una hostess transitò tacchettando in lontananza, un poliziotto si diresse con aria seduttiva verso la cassiera del bar.

L'omone si alzò dalla poltrona e consultò l'orologio. In piedi appariva ancora più imponente. Penzolava un po' in avanti, come un pupazzo da carro di carnevale. La bambina gli sussurrò qualcosa e l'uomo le appoggiò una mano sulla spalla in un gesto che non era né una minaccia né una carezza. Il bambino si mise a correre scivolando sul pavimento lucido, come pattinasse sul ghiaccio.

L'omone gli disse qualcosa e il bambino tornò a testa bassa.

La porta girevole numero sette ruotò silenziosamente.

Dal fondo della hall avanzò un signore distinto, con impermeabile chiaro e occhiali neri a specchio. Fece un breve cenno con la mano guantata.

L'omone raccolse da terra una sacca da ginnastica, tutto il bagaglio del terzetto, e con andatura dondolante gli andò incontro. I bambini lo seguirono.

L'omone strinse la mano all'uomo con l'impermeabile, quello sorrise ai bambini e indicò l'uscita. I bambini presero ognuno un manico della sacca e lo seguirono.

Entrando nella porta girevole, la bambina si voltò per salutare l'omone, ma quello si era già allontanato.

Venti minuti dopo la sagoma di Francis, così si chiamava il gigante, si disegnò nel vetro smerigliato di un bar vicino all'aeroporto. Al bancone c'erano solo un ubriaco, che teneva un fazzoletto premuto sulla bocca, e una donna magra col volto truccato e logoro. Una strega troppo stanca per far sortilegi.

– Ciao, Francis, – disse la donna – attento a dove metti i piedi. Il gentiluomo qua vicino ha appena vomitato, non riesco a mangiare dalla puzza.

– Non sento nulla – disse l'uomo. Aveva una voce dolce e femminea, che non c'entrava nulla col suo corpaccione. – Sono raffreddato. Non sento odori né sapori.

– E cos'altro non senti? – disse la donna, guardandolo fisso negli occhi.

– Marceline, se sei ubriaca non prendertela con me – brontolò lui, e ordinò un cappuccino.

– Sei ancora ingrassato – continuò la strega. – E puzzi di rancido, sono dieci anni che ti vedo con quella giacca e quel cappello. Dove li metti i soldi che guadagni?

– Non sono affari tuoi – disse l'omone. Si tolse il colbacco. Aveva i capelli neri e unti, a caschetto, come quelli di Oliver Hardy. Respirava un po' asmatico.

La strega lo guardò quasi pietosa.

– Hai fatto una consegna?

– Due. Due montenegrini.

– Piccoli?

– Molto piccoli.

– Li hai dati al Serpente?

– Sì.

– Io non lavoro più per quello, – disse la Strega con una smorfia – lo sai che cosa fa coi bambini...

– Non lo so e non lo voglio sapere.

– Lo sai bene. Metterli a chiedere l'elemosina, passi. Venderli, passi. Ma quello no, quello dovrebbe far ribrezzo anche ai disgraziati come noi...

L'omone tirò un pugno sul tavolo. Bicchieri, tazze, salatini, tutto saltò in aria e rotolò come per un terremoto. Ma sul suo volto non c'era traccia d'ira. Pagò e se ne andò.

Mi sono sempre guadagnato la vita così, pensò Francis, mentre aspettava nei corridoi della Billion Film. Non è colpa mia se io piaccio ai bambini e se c'è gente a cui piacciono i bambini in quegli strani modi. Io non ne ho mai toccato uno.

– Ciao, Orco – disse un uomo, sedendosi vicino a lui. Aveva i capelli di un biondo così finto che sembrava gli fosse caduto in testa un favo di miele. Era pieno di anelli e odorava di fiori marci.

– Non chiamarmi con quel nome – disse con calma Francis.

– Hai ragione, Francis – disse l'altro. – Anche a me rompe quando mi chiamano la Faina. Faina vieni qui, Faina datti da fare, Faina tieni la bocca chiusa. Ci facciamo un culo così e loro diventano ricchi. Da chi stai andando?

– Dal Codino.

La Faina ghignò.

– Preparati a qualche schifezza, Francis. Quelli non hanno limiti. Codino è pazzo, ho lavorato per lui parecchi anni. Lo vedi quello magro coi baffi, quello che entra adesso? Beh, lo usano come sosia di Hitler. Storie sadomaso dentro i campi di concentramento, roba da trecento euro a video. E le porcate più strane, robe da non crederci. Stronzi giganti, Francis, ti giuro, una volta mi hanno mandato a cercare qualcuno che facesse stronzi giganti per un ricco signore perbene che li collezionava, in foto o imbalsamati. Andavo nei cessi a spiare, una volta mi hanno anche menato. E un'altra volta mi hanno chiesto di trovare una che fosse disposta a farsi ingoiare per metà da un serpente. Addormentato, hanno detto. E poi storpi, gobbi, nane. Anche uno col pelo sullo stomaco come me, quando vede Codino, gli viene da tirarsi indietro.

– Tirarsi indietro tu? – rise stridulo Francis. – Ma dai.

– Tu non l'hai mai fatto?

L'Orco scrollò le spalle.

– È un lavoro. Se non lo faccio io, lo fa qualcun altro. I bambini stanno bene con me. Non li picchio.

– Ma dopo...

– Dopo non lo so – disse l'omone. – E poi basta parlare, ho mal di gola.

– Signor Francis, – disse una segretaria smunta in minigonna di pelle – il dottore la sta aspettando.

L'Orco alzò dalla poltrona, uno alla volta, i tre piani del suo corpaccione. Prima posò per terra le zampe da pachiderma, poi sporse il testone di minotauro e infine issò il serbatoio centrale e dondolò verso il corridoio.

Il capo della Billion Film era una sudicia leggenda del settore. Ex attore porno, regista, produttore, pappone e manager. Aveva i capelli tinti e impomatati, raccolti sulla nuca in un codino tipo coda di barboncino. Fumava un sigaro pestifero e teneva sulla scrivania alcune foto di ragazze, che esaminava con aria annoiata. Alzò lo sguardo su Francis e gli rivolse un largo sorriso.

– Ecco il nostro baby-sitter – disse. – Che ne pensi di queste?

Fece scivolare verso di lui due foto di slave in tanga.

L'Orco si mise un paio di occhiali minuscoli, che si persero nel panorama del faccione. Guardò, sbuffò e rispose:

– Non mi sembrano molto in carne.

– Non le dobbiamo mica mangiare! – rise il Codino. – Servono per un film ambientato in una prigione. Un po' sciupate, ma alla gente piacciono così. Finiranno nude e arrostite sulla sedia elettrica.

– Per finta?

– Naturalmente, Francis – disse il Codino con dolcezza. – Non vorrai credere anche tu alle dicerie sulle nostre produzioni. Tutto quello che facciamo qui è finto, e lo sai bene.

– Lo so – disse Francis, a bassa voce.

– Del resto, i nostri clienti hanno esigenze molto particolari. È per questo che si rivolgono a noi. Vogliono emozioni davvero speciali, mica la scopata quotidiana. Il mondo è violento, non noi. Forse siamo i soli a sfruttare i bambini? Ho letto ieri sul giornale: venti bambini sudamericani morti in una miniera. Ogni anno in tutti i paesi feriscono e ammazzano decine di prostitute minorenni. E i soldati bambini? E i bombardamenti sui civili? Perciò, se noi mettiamo qualche cadavere in un nostro film, cosa c'è di male? Facciamo guadagnare quelli dell'obitorio, e i morti non protestano. Le cose vanno così.

– Immagino di sì – disse l'Orco, un po' nervoso.

– Noi vogliamo gente dura, – continuò il Codino giocando con le fotografie come fossero carte – se qualcuno si chiede perché lavora con noi, ha chiuso. Il perché è uno solo: paghiamo. Capito?

– Mi ha fatto venire qua per farmi la ramanzina?

Francis parlò con improvvisa violenza, e il Codino ne ebbe paura. Gli scatti d'ira dell'Orco erano rari ma leggendari. Nessuno aveva mai capito cosa si nascondeva dentro quei centottanta chili di uomo. Per i più era una persona ottusa e mite. Per altri, un pazzo da cui stare alla larga.

– Per carità, Francis, non arrabbiarti. Ti ho chiamato per un lavoro molto importante. Ti ricordi il dottor Dracula?

– Dracula? Quello ricco sfondato?

– Sì, uno dei nostri clienti speciali. Lo si vedeva spesso sul giornale, o in televisione. Ma per noi era solo un nome in codice, dottor Dracula. Tu, anche senza conoscerlo, lo hai reso spesso felice. Hai trovato parecchi attori per lui.

– Un bimbo nero, mi sembra... e quelle due gemelle.

– Esattamente. Un cliente esigente e creativo, ci dettava lui le trame complete dei video. Non badava a spese. Beh, l'ultimo video gli è piaciuto troppo. L'hanno trovato nella sua villa, stecchito davanti allo schermo, con un armamentario erotico arrotolato al collo. Naturalmente, per la stampa è morto nel sonno, virtuosamente.

– Pace all'anima sua – disse l'Orco con voce incolore.

– Abbiamo perso un grande, depravatissimo cliente – sospirò il Codino. – Ma proprio due giorni fa è arrivata una bella sorpresa. Dracula ha un erede. Chiamiamolo Dracula junior. Ha ereditato il patrimonio del padre e, evidentemente, anche i vizi. Ci ha ordinato un video che somiglia molto a quelli che piacevano al genitore, direi con un pizzico di crudeltà in più.

– Torture?

– Più o meno.

– E di che attore ha bisogno?

– Vuole una ragazzina. Sui dodici, tredici anni.

– Bene, c'è un arrivo questa settimana al confine nord. Sei o sette piccoli di quell'età. Posso andarli a prendere entro sabato.

– No, c'è un problema – sospirò il Codino. – Dracula junior non vuole ragazzine straniere, patite, come quelle che piacevano a suo padre. Vuole una del suo ambiente. Una ragazzina ricca, che parli bene, vestita alla moda, con tanta spocchia e classe.

– Le ragazzine ricche non fanno i video per noi – disse l'Orco scuotendo il testone.

– Ce ne ha indicata una, e vuole proprio quella. È una che conosce bene. Vai a capire che razza di desideri ci sono sotto. Si chiama Vanessa. È una ragazzina molto ricca e molto stupida. E anche un po' morbosetta. Il suo sogno è conoscere un divo dei nostri film horror. Questa è la sua foto. La avvicinerai e la porterai qui.

– E poi?

– E poi non possiamo dirti niente, se non che la ragazzina uscirà dai nostri studi sana e salva – rise il Codino. – Te lo giuro su tutte le attrici o sedicenti tali che ho trombato sul set!

– Non sarà facile – sbuffò l'Orco. – Coi bambini dell'Est, coi neri basta promettere ai genitori qualche soldo, un lavoro, una casa. Con questa non possiamo certo rivolgerci ai parenti. E poi non ha bisogno di nulla, ha già tutto...

– Ha la curiosità, – disse il Codino – e noi abbiamo l'esca.

La porta si aprì. Sventolando un metro di chioma ossigenata, entrò Geko Godiva, il trans-vampiro.

Francis e Geko sedevano insieme al bar, di fronte alla scuola. Lui beveva un amaro. L'altro fumava nervosamente e cercava di far conversazione.

– Come era lei da bambino, signor Francis? Voglio dire, per fare questo lavoro devono averla trattata male da piccolo, no?

– Perché, secondo lei che lavoro faccio?

– Beh, non vorrei sembrare curioso, – disse Geko, sistemandosi i carichi dentro al reggiseno – ma... lo sanno tutti che lei è una sorta di... cacciatore... Lei va prendere i bambini e poi... oh, insomma, la chiamano l'Orco sì o no?

Francis gli prese il polso e strinse. Geko divenne bianco come neve.

– Senti, vaccona strapagata. Mi dicono che prendi dieci volte più di me per i tuoi film sesso e budella, ma io non voglio impicciarmi, né sapere niente di te. Dobbiamo solo lavorare insieme. Quindi fai la tua parte e non chiamarmi più con quel nome.

Il gozzo di Francis tremava, gli occhi erano socchiusi. Geko disse con voce strozzata:

– Perdono, perdono...

L'Orco mollò la presa. In quel momento entrarono due ragazzine e un ragazzo. Francis riconobbe subito Vanessa, una biondina con gli occhiali alla moda e l'aria strafottente. Guardò Geko con interesse.

– È lei, – sussurrò l'Orco – ti ha già puntato.

Geko si spostò sulla sedia mostrando le calze a rete e i polpacci robusti. Sporse in avanti le labbra e si infilò in bocca una sigaretta con bocchino.

Vanessa disse qualcosa all'orecchio del ragazzo. Insieme ripresero a sbirciare Geko. L'altra ragazzina si intromise, voleva sapere di cosa parlavano. Continuavano a ridacchiare. L'amico diede una spinta alla biondina, come per avvicinarla a Geko. Il trans-vampiro sfoderò un inequivocabile sorriso. Si alzò beccheggiando e andò al bancone.

– Ha da accendere, barista? – sussurrò. Poi puntò i due silos di silicone contro il visetto del ragazzino: – Immagino che voi non fumiate, ragazzi...

Vanessa tirò fuori un accendino d'oro.

– Prego – disse, con voce sicura.

Il giorno dopo l'Orco tornò al bar, ma Vanessa non c'era. Tornò l'indomani, e la rivide. Ostentatamente, mise in mostra i cataloghi di video che aveva nella borsa. La ragazzina fece finta di niente.

Ma l'Orco la sapeva lunga. Fece cadere sul pavimento una foto di Geko, abbastanza casta per la verità. Vanessa abboccò. La raccolse e gliela diede.

– Grazie – disse l'Orco.

– La... lo conosce? – disse Vanessa. – Voglio dire, era seduto insieme a lei, qualche giorno fa... è Geko Godiva, no?

– Proprio lui – disse l'Orco.

– E... come fa a conoscerlo?

– Sono il suo manager, – disse l'Orco – ma tu sei troppo piccola per parlare di queste cose.

La biondina gli si sedette vicino.

– Io non sono piccola, – disse con voce decisa – e ho molte videocassette in casa. Ai miei genitori piacevano... anzi, piacciono, molto e dicono che non c'è niente di male a vederle, tanto è tutta roba non vera...

– Ah sì? – rise l'Orco. – Così tu saresti un'esperta?

– Beh, Geko è il numero uno – sospirò la ragazzina. – Quando spunta dalla bara in mezzo alla festa e poi azzanna tutti... e quando fa le porcherie con la donna-zombie...

Francis assunse un tono professorale.

– Sì, certo, fa delle parti abbastanza hard, ma è un attore molto serio... appassionato al suo lavoro. Perché vedi, il nostro è un lavoro come gli altri.

– Certo – disse Vanessa. Si guardò intorno e sussurrò: – Sa, a me piacerebbe tanto...

– Cosa?

– Niente, niente... mi vergogno un po'...

– Su, dimmi – disse l'Orco con voce dolce. Quello era il momento più difficile. Mandò giù un sorso di amaro e sorrise alla ragazzina. Il volto enorme si trasformò in un cartone animato. Strizzò l'occhio.

– Ti piace il vampirone pazzo, eh? Sei una ragazzina sveglia. Ti piacerebbe vedere che macelli fa sul set? Sangue finto come se piovesse. Altro che PlayStation!

Vanessa rise. Francis fece una smorfia irresistibile. Sapeva come tranquillizzare le prede. Non lo chiamavano l'Orco per niente.

– Beh, mi piacerebbe vedere un set horror... Dev'essere una cosa unica... eccitante, certo, ma anche divertente.

– Oh, naturalmente, noi ci divertiamo durante il lavoro, ma non possiamo far entrare dei ragazzini. Però posso farti avere una foto di Geko con autografo, se vuoi.

– Signor... come si chiama lei?

– Barabas. Mi chiamo Barabas.

– Signor Barabas, io sono molto ricca. I miei mi danno... un bell'assegno ogni mese, ecco, così possono fregarsene di me. Posso spendere quello che voglio. Starei in un angolo e non darei fastidio. Vorrei solo... una polaroid, ecco, per farla vedere alle mie compagne di classe. Loro hanno scommesso che non avrei mai avuto il coraggio...

– Non penso si possa fare – disse Francis grattandosi la testa. – Ti ripeto, nel nostro lavoro siamo molto seri.

– Io... voglio vedere qualche scena e basta – disse la biondina. – Insomma, chissà quanta gentaccia gira nel suo ambiente, invece si vede che lei è una persona seria e io sono... un po' curiosa, che c'è di male?

– Già, – disse l'Orco – che c'è di male?

Stavano preparando il set. Un tecnico vecchio e calvo montava le luci. Il cameraman fumava sdraiato su un divano. Il Codino tagliava un po' di cocaina con un biglietto da visita. Amneris, la segretaria tuttofare, controllava la scenografia. Una camera drappeggiata di lenzuoli neri, con una finestra con sbarre, forse una prigione. Al centro, qualcosa che sembrava una grossa poltrona da dentista. Un tavolo, con oggetti coperti da un telo bianco.

– Dovrebbero essere già qui – disse la segretaria, spazientita. Controllò gli oggetti sotto il telo, con cura.

La luce rossa dello studio si accese. Qualcuno stava per entrare. Francis apparve, e dietro a lui la biondina, con un vestitino a fiori. Il Codino e la segretaria le vennero incontro sorridendo, dietro giganteschi occhiali neri.

– E così, ecco qua il nostro Cappuccetto rosso, la nostra curiosetta – disse il Codino.

– Già – disse Vanessa.

– Io sono John Layne, il regista – disse il Codino prendendola a braccetto. – Non hai detto a nessuno che venivi qui, vero? Sai, il favore che ti facciamo è contro le nostre regole, ma Francis... anzi, Barabas, ci ha garantito che sei una ragazzina seria e terrai la bocca chiusa.

– Oh, certo, – disse la biondina – mia madre crede che io sia a giocare a bridge...

– Beh, vedrai dei bei giochi, bimba mia, – rise il Codino – quando c'è in campo Geko...

– Sicuro – disse Vanessa. Sembrava calma e per niente intimidita. – John Layne ha detto? Non ho mai visto un suo film.

– Nel nostro mestiere usiamo un sacco di pseudonimi – disse il Codino. – Sai, i moralisti sono sempre in agguato.

– In agguato – confermò l'Orco. Guardò il vetro in fondo alla sala. Da una parte specchio, dall'altra schermo. Immaginò che dietro ci fosse Dracula junior eccitato, un trentenne-quarantenne ben vestito, irreprensibile. Ma se lo avesse visto, avrebbe fiutato il puzzo della sua anima, in ogni gesto e sguardo. Ormai conosceva bene quei tipi.

La ragazzina, ignara, intanto guardava i muri del corridoio, dove erano appese locandine di horror in puro stile Billion, e anche qualche porno d'antan.

– Ehi, – disse – quello è Geko Godiva in *Il torturatore*.

– Tra poco lo conoscerai. Ti affido ad Amneris. Ti dirà lei dove metterti per... non disturbare.

– Che bella ragazzina bionda – trillò la segretaria. – Ehi, quasi quasi ti mettiamo nel film.

Vanessa rise nervosamente. Francis li guardò entrare nello studio tre, e vide la porta metallica chiudersi dietro a loro.

– È molto sveglia. È sicuro che non possa ricordare la strada? – disse il Codino a Francis.

– So fare il mio lavoro. Ho girato mezza periferia e, alla fine, l'ho bendata. Le ho spiegato che era nei patti, come in un film di spionaggio. Era divertita. E poi, chi può immaginare uno studio televisivo nei sotterranei di un supermarket?

– Lo spero. Quella non è una piccola profuga qualunque, a cui nessuna questura darebbe retta. Potrebbe raccontare tutto.

L'Orco fece un gesto di fastidio con la mano enorme.

– Non credo che i suoi parenti vorrebbero far sapere che posti frequenta la loro figlia. E poi lei me lo ha giurato, mister, – disse – la ragazzina deve uscire sana e salva da qui. Non mi importa cosa le fate sul set, ma non passate quel limite.

– Lo dico e lo confermo. Francis, ti devi fidare di me, da quando sei così sospettoso?... Ma cosa succede adesso?

Dalla porta dello studio era uscita di corsa Amneris, tenendo in mano un telefonino come fosse una bomba a orologeria. Con la faccia preoccupata, lo passò al capo. Il Codino si mise a parlare a bassa voce, con gesti nervosi. L'Orco stava per allontanarsi, ma il Codino gli fece cenno di restare. Parlò ancora, con voce tra l'adirato e il lamentoso, poi chiuse il telefonino con uno scatto.

– Questa non ci voleva – disse.

– Cosa è successo?

– Geko. Ha avuto un incidente d'auto. Magari guidava strafatto. Una gamba rotta. Non può venire. Siamo fregati. Era tutto pronto e la ragazzina era perfetta, cazzo.

Amneris tuttofare gli suggerì qualcosa all'orecchio. Il Codino annuì. Prese a braccetto l'Orco e in silenzio lo portò nel suo ufficio. Francis lo seguì sospettoso.

– Da quanto lavori per noi?– esordì il Codino, offrendogli un sigaro.

– Più o meno dieci anni – rispose Francis.

– E guadagni sempre la stessa cifra, no? Duemila a consegna, più o meno. Con i rimborsi spese.

– Dove vuole arrivare? – disse Francis, passandosi la mano sul gozzo ispido.

– Questo è il copione del video che ci ha mandato Dracula junior – disse il Codino. – Posso riassumerlo. Il trans-vampiro sevizia una bambina. Niente penetrazione, niente sesso. La tagliuzza un po', le storce i ditini. Un po' di primi piani. Roba da sadico di terza categoria, uno che si fa le seghe con *Pollicino*. Ma paga bene, tanto e subito. E non voglio perdere quei soldi.

– E io che c'entro?

– Beh, Geko fa paura, ma anche tu non scherzi. Lo so che sei buono, ma con una luce ben puntata puoi sembrare un vero orco. E non ricominciare a dire che questo nome non ti piace.

41

– Non mi piace, no.

Il Codino sospirò e mise sul tavolo, una dopo l'altra e lentamente, cinque mazzette di banconote. Sembrava che puntasse delle fiches a poker.

– Francis, aiutami. Vai sul set e fai la parte di Geko. Solo le scene in campo lungo, tu che prepari i ferri, tu con le tenaglie in mano eccetera. Non dovrai neanche toccarla, i dettagli li faremo a parte. Conosci questi film, sai come funziona. Un po' di primi piani della tua faccia, la spaventi un po'...

– No, non l'ho mai fatto, no – disse l'Orco, ma restò seduto.

– Quindicimila, Francis – sibilò il Codino. – Quello che prende Geko. È un'emergenza, non c'è prezzo che tenga. È la tua occasione, Francis.

– No, io... non ho mai recitato, ecco, non è il mio lavoro. E poi lei mi ha già visto.

– Sarà drogata come al solito, e ci sarà poca luce. Se vuoi ti metto un cappuccio nero in testa e la barba finta, va bene?

– Io non so... – disse l'Orco. La voce gli era diventata ancor più flebile.

– Cos'è che non sai? Sei dei nostri, Francis! Hai contrabbandato bambini di tutti i paesi, hai trattato con la mafia, non sei mai stato una mammoletta. Ti ricordi di quella ragazzina a Praga? E allora! Non farla lunga, te ne offro ventimila, va bene?

– E non dovrò fare nulla... di violento, di sessuale?

– Nulla. Solo terrorizzarla, preparare i ferri da tortura, darle un pizzicotto, il resto lo filmiamo dopo in dettaglio, prendiamo scene già girate, trippe di repertorio. Lo conosci il nostro metodo. Dai, fidati.

– I soldi me li dai subito?

– Metà sono qui davanti a te, – disse il Codino – e metà dopo.

Gli occhi dell'Orco brillarono. Spesso aveva in tasca molto danaro, quando comprava i bambini. Ma quello era tutto per lui.

– Andiamo, – disse il Codino – abbiamo poco tempo.

Entrarono nello studio. Le luci erano basse. Non vide la ragazzina. Forse la stavano drogando, con la solita aranciata. Si lasciò annerire le sopracciglia e si fece attaccare una barba finta. Poi si mise a petto nudo e si guardò allo specchio. Aveva peli dappertutto, dalla schiena ai gomiti, e la pancia sussultava come gelatina. Sembrava davvero un orco.

– Sei perfetto, Francis – disse il cameraman.

– Stai zitto, stronzo – disse lui. Ma continuava a guardarsi allo specchio, come affascinato. Dietro al vetro, forse, c'era Dracula junior che si godeva la scena. Alzò le braccia e fece la faccia feroce.

– Avanti, siamo in ritardo – disse il Codino, sistemando un riflettore. – Forza, Amneris, leggi la prima scena.

– Scena uno. La biondina vuol vedere l'orco-vampiro che è prigioniero nella cella. L'orco è legato alla sedia, la ragazzina entra e l'orco riesce a liberarsi, poi lega a sua volta la vittima... cioè, la ragazzina alla sedia.

– Forza, Francis. Siediti lì sopra e fatti incatenare. Le catene sono di plastica. Appena la ragazzina ignara ti viene vicino, sai cosa fare. Se fai un bel ruggito, è anche meglio.

L'Orco si accomodò sulla sedia.

– Provo a rompere la catena?

– Va bene, ma sbrighiamoci...

L'Orco prese un pezzo di catena e la spezzò con facilità. La segretaria gliela girò tre volte intorno al polso.

– Pronti. Appena ti faccio segno, spacca tutto e alzati in piedi. Motore... azione!

Dal fondo buio dello studio entrò Vanessa con un bizzarro costume da diavoletto.

– Eccoti qui, maledetto orco – sghignazzò.

Qualunque cosa le avessero fatto bere o le avessero detto riguardo a quel gioco, sembrava divertirsi molto.

La ragazzina si avvicinò e scoprì gli oggetti sotto il telo. Era un campionario tra il chirurgico e la tortura medioevale. Provò col dito l'affilatura di un lungo bisturi.

L'Orco aspettava il gesto del Codino. Ma non lo vide. Sentì invece qualcosa che lo cingeva con rumore metallico. Gli venne un dubbio improvviso... Dov'era finito l'interesse della ragazzina per Geko? E subito altri pensieri. Perché così poca cautela, nel portare quella ragazzina fin dentro allo studio? E come mai lei aveva accettato, senza il minimo timore, di recitare quella parte? Cercò di muoversi, ma qualcosa gli bloccava le braccia e il collo. Erano sbarre di ferro. Se fosse stato più attento, avrebbe ricordato di aver già visto quella sedia in un vecchio film.

– Che cosa succede? – gridò con voce irosa.

– Mi dispiace, Francis – disse la voce del Codino dalla cabina di regia. – Ti presento Dracula junior.

La biondina sorrise.

– Caro Francis, – proseguì il Codino – ti ho detto che Dracula aveva un erede. Non ti avevo detto che era una signorina, e anche molto giovane. Sai, i ricchi fanno figli a qualsiasi età.

43

– Che trucco è questo, – ruggì l'Orco – che scherzo del cazzo è?

– Non è uno scherzo, signor Francis – disse Vanessa con un sogghigno. – Mio padre mi ha obbligato a vedere parecchi film girati con i bambini che lei portava qui. È così che sono diventata... strana.

– Erano film finti.

– Erano film veri, o mio padre non li avrebbe comprati. Quei bambini soffrivano e forse morivano davvero, signor Francis, e lei lo ha sempre saputo.

– Non è vero – disse l'Orco, dimenandosi e scuotendo la sedia come un terremoto.

Il volto della ragazzina gli era vicino, il fiato sapeva di gomma americana, ma gli occhi erano freddi come quelli di un serpente.

– Ho visto troppi di quei film, signor Orco. E adesso non posso fare a meno di emozioni forti. Così ho deciso di scrivere una sceneggiatura e di farla girare al signor John Layne. Vuole che le legga il copione? Una ragazzina si vendica dell'orco che le ha ucciso i fratellini e lo fa a pezzi con degli arnesi da chirurgo. È un film lungo e assai realistico...

– Perché? – disse l'Orco, con un rantolo nella voce. – Perché?

– Ti stavi facendo troppe domande, Francis – disse il Codino con calma. – Forse stavi diventando sentimentale coi bambini. Prima o poi saresti crollato e avresti spifferato tutto, e questo la nostra azienda non se lo può permettere. Ora invece lavorerai ancora per noi. Farai la parte che sai fare meglio. L'orco.

Francis sentì la lama del bisturi che gli tagliava i calzoni. La telecamera si avvicinò, la lampada accecante nascondeva la faccia del cameraman.

– Perché? – disse ancora. – Perché?

– Perché io pago – disse la voce della biondina, e il bisturi affondò di colpo nella coscia dell'Orco, come in un soffice cuscino.

ALICE

– Quante ne fumi, ragazzina?
– Due pacchetti al giorno, se ho i soldi.
– Ma non sono troppe?
Silenzio.
– Voglio dire, perché ne fumi tante?
– Mi passa il tempo.
– E i soldi come te li procuri?
Silenzio.
– Ma cosa fai qui da sola sui gradini, come una barbona? Quanti anni hai?
– Sedici.
– E a sedici anni stai così a non far niente da sola?
– E tu quanti ne hai?
– Cinquanta.
– E a cinquant'anni vai in giro da solo a parlare alle ragazzine?
– Ci vai mai in chiesa?

Alice sbuffa e si alza. Stava bene lì dov'era, appoggiata al muro, con l'aria calda di una grata che le riscaldava la schiena, ma i rompicoglioni arrivano sempre anche se non li aspetti, come le nuvole. E adesso aveva la schiena bollente e la faccia gelata.
Sono sempre dissociata, pensò, mezza cruda mezza cotta.

Alice accende una sigaretta e cammina sotto le luci di Natale, galassie di neon e comete pulsanti offerte dall'Unione commercianti. Nel suo quartiere c'è solo qualche albero di Natale in giardino, un abete puttanesco che mostra la chincaglieria alla strada.
Il centro della città è illuminato, la periferia quasi al buio.

I negozi si devono vedere, le persone possono anche scomparire.

Si ferma a guardare una vetrina.

Borse borse. Ma quante borse per quanta roba da metterci dentro.

Scarpe scarpe. Ma quanti piedi quanti passi da fare.

E telefonini tanti telefonini. Quante cose avete da dirvi.

Un telefonino ce l'aveva, glielo aveva regalato sua sorella, un giorno di particolare senso di colpa.

Ma una mattina non l'aveva più trovato.

Luca l'aveva venduto per comprarsi la roba.

Poi erano spariti i cidì, quelli che avevano inciso uno per uno al computer, coi pezzi che amavano.

Ne era rimasto solo uno di musica classica.

Poi era sparito il computer.

Poi era sparito Luca.

Poi l'avevano chiusa fuori casa, la mattina prima. Sul pianerottolo, la sua poca roba in due valigie. Un biglietto.

Se torna, faccio vedere alla polizia tutte le siringhe che ho trovato nell'appartamento.

Il padrone di casa era un avvocato che una volta difendeva gli occupanti di case. Succede.

Così stasera Alice non sa in quale paese meraviglioso potrà dormire.

Non torno su a casa da mamma, non voglio vedere altri pianti, e non mi va di dormire da Adrian, quello è un porco, ti scopa anche se sei morta. E se vado da Nerofumo, troverei da dormire, ma ho paura che ci sia il Tricheco, un pusher vecchio, strafatto e senza denti, ho paura che mi sbocci della polvere come l'altra volta.

Ma come cazzo parli, parla bene.

Ho paura che mi dia dell'eroina gratis.

E poi succede che passo lo specchio e mi ritrovo al pronto soccorso e la Regina di cuori è una dottoressa tutta truccata come l'altra volta che mi dice, senti carina stupidina, perché vuoi morire adesso?

E io non ho saputo rispondere.

Il Bianconiglio invece è un ragazzo occhialuto in bicicletta che scappa via, lui ha una casa grande in affitto, ci sono stata il mese scorso.

– Melfi! – grido, so solo che è nato lì. – Melfi, fermati!

Ha la faccia da uno che ha visto tutto e non ha imparato niente.

– Ci conosciamo?

– Sì, sono stata a casa tua con Luca, ricordi?

– Eri la sua ragazza?

– Beh, diciamo di sì.

– E adesso no?

– Adesso no.

– E cosa posso fare per te?

– Potresti trovarmi un posto da dormire?

– Se te lo trovo ti fai scopare?

– Credo di no.

– Allora ti fai scopare da un mio amico molto più bello di me?

– Insomma, hai posto o no?

– No.

E riparte in bicicletta.

Alice cammina tra la gente che fa le compere e le buste dondolanti piene di borsescarpe e pesticcia una fanghiglia di neve grigia, chiude e apre gli occhi, così le luci di Natale diventano brividi, bagliori, strisce di colore, e lei pensa di essere in un luogo magico lontano da quella città.

C'è un Pizza Snarck Bar con un'insegna tutta rosa e gialla, entra e ordina un trancio di pizza con le patate, si siede e vicino a lei arriva lo Stregatto.

È alto, grassoccio, con una maglietta a righe, i capelli tinti di azzurro Nazionale. Su un braccio ha tatuato un serpente e sull'altro lo stemma di una squadra di calcio. Posa un triplo trancio con birra, rutta e sfodera un sorriso senza i due denti davanti.

– Ciao, fighetta.

Silenzio.

– Vieni a un concerto con me?

– Chi?

– Oh, amici miei durissimi, creature di Satana, solo che suonano in periferia, in un garage o che cazzo ne so, e io non ho la macchina.

– Neanche io.

– Peccato, ci saremmo divertiti. Sei il mio tipo.

– In che senso?

– Che sei così disperata che capisco che sto meglio di te e mi viene da ridere.

– Grazie.

– Niente. Scusa, fighetta. Ti darei una mano, ma devo trovare un passaggio.

Si alza già ubriaco, il corpaccione traballa, ha le braghe che cascano e mezzo culo roseo di fuori, si gratta, barcolla, ribalta una sedia.

– Qualcuno ha una macchina da prestarmi qua dentro? Un'auto blu magari?

– Vattene, – gli urla uno dei pizzaioli – o chiamo la polizia!

– La tua pizza fa lo stesso odore della mia cappella – ghigna lo Stregatto.

Il pizzaiolo gli mostra un coltello.

Prima di uscire, lo Stregatto lascia metà birra sul tavolo di Alice e le lancia un bacio.

– Ti voglio bene, baby – dice.

– Grazie – dice Alice.

Lo vede uscire e infilarsi in un bus scostando e schiacciando metà dei passeggeri.

Alice si scola la mezza birra e accende una sigaretta.

– Non si fuma qui.

– Scusi.

Esce e si accovaccia davanti a una vetrina.

– Non ci si siede qui.

Allora Alice si rimbocca il cappuccio sulla testa, cade un po' di nevischio, la gente fa a botte per i taxi. Entra nella biblioteca pubblica. C'è un bel calduccio. Schermi dappertutto. Notizie e immagini da tutto il mondo. Si siede sul pavimento a guardare un documentario sui pinguini.

– Non si può stare per terra – dice un vigilante.

– In piedi?

– Se non disturbi.

– Su un piede solo?

– Non mi prendere per il culo o ti sbatto fuori...

Silenzio.

Alice guarda un po' di pinguini che si tuffano e amoreggiano, ride, poi entra, gironzola e va al bar, si accorge che ha i soldi per un tè, lo prende al banco, si siede.

– Non puoi, – dice la cameriera – se ti siedi ai tavoli devi pagare la differenza.

– La differenza...

Allora va a vedere i libri. Subito si sente meglio. Molti di quei libri le hanno tenuto compagnia, in questo brutto inverno. Luca li ha portati via quasi tutti per venderli. Luca legge solo libri di vampiri. Non è che sia scemo, è fissato. Come è evidente, come è crudele il fatto che Luca non le manca. Preferiresti che ti mancasse, Alice? Forse sì. Chi ti manca? C'è un poster, una foto di uno scrittore appena morto. Lei voleva bene a quello scrittore. Parlava di guerra con vero orrore e pietà, inventava scienziati pazzi e faceva ridere. Sì, lui mi manca. E anche i miei amici Elsa e Faber. E la vecchia Marion. I miei amici libri...

Si mette a leggere, legge legge.

– Non si può – dice un commesso. – Dare un'occhiata si può, ma mica puoi leggerlo tutto.

– Certo, c'è differenza.

Droga leggera e droga pesante.

I miei jeans e i jeans di quella che sta passando.

Pizza con patate e pizza e basta.

Darla a tutti e darla a qualcuno.

Sedici anni ancora o basta così.

Sto andando via di testa.

La sta fissando un ragazzo dagli occhi azzurri e i capelli biondi, un Kurt Cobain centrista, con molte possibilità in più di invecchiare.

La adoro, sta pensando lui, amo le ragazze trasandate che poi diventano bellissime, questa se la spolveri, la lavi e la coccoli è una meraviglia.

Sembra fesso, ma dolce, pensa lei.

Intanto una voce dice: è l'orario di chiusura, i signori clienti sono gentilmente pregati di uscire. Le luci si abbassano, esce. Fuori la città è grigia la piazza vuota la chiesa blindata da una cancellata, non puoi più sederti sui gradini, Dio forse gira con un giubbotto antiproiettile, pensa Alice. E pensa che forse stasera le toccherà di dormire in stazione, non ce la farà a resistere ancora con quel freddo, non ce la farà ad andare avanti, ma che cazzo mi parlate di coraggio e grinta e dignità, sono solo un metro e sessantadue per quarantasette chili, come posso reggere lo scricchiolio del mondo e le grida dei morti e il rock finto e il gelo e la fame, i trichechi mangiaostriche e i pusher caritatevoli...

Non ho fatto il Sessantotto il Settantasette e magari non farò neanche il Duemilaotto.

Ho bisogno di un angelo.

Se no, non so come fare.

Non la do a nessuno, non prendo roba, non mi metto a urlare in mezzo alla strada, semplicemente vado in stazione e aspetto un treno.

O ci salgo sopra, o ci vado sotto.

Ma cosa dici, Alice.

Prendi un fungo che ti fa crescere o uno che ti fa rimpicciolire.

Guarda sotto il portico, c'è il Jabberwocky, è il nome di un baretto alla moda, là dove una volta c'era la libreria che ti piaceva di più, quella col commesso talpa e la libraia che sapeva a memoria Sylvia Plath e Majakovskij, si potevano rubare i libri piccoli e c'era odore di incenso.

Il biondo sta venendo da te. Non ha le ali ma sembra che voglia salvarti. Però esita.

Deciditi cretino, ti ho guardato già due volte, come se tu suonassi sul palco. Cosa devo fare, tirarmi giù i jeans? Vuoi vedere il pancino? Il culo? Ce l'ho bello, sai. Muovi le ali, pollo.

Mi guarda mi guarda, pensa lui, è davvero carina e sicuramente pazza, però mi piacciono le pazze.

Lei tira fuori una sigaretta e fuma. E le viene da tossire. Una tosse da orchessa, da camionista bulgaro, da gatto del Cheshire, da cantante metallaro.

Lui si impietosisce. Io ti salverò, o tisica Mimì, fanciulla dagli occhi di febbre, io sarò il tuo angelo, il tuo alternativo rovente angelo. Non dormirai sola stanotte.

Si avvicina.

– Quante ne fumi?
– Due pacchetti al giorno, se ho i soldi.
– Ma non sono troppe?
Silenzio.
– Voglio dire, perché ne fumi tante?
– Mi passa il tempo.
– E i soldi come te li procuri?
Silenzio.
– Ma cosa fai qui da sola sui gradini, come una barbona? Quanti anni hai?
– Sedici.

– E a sedici anni stai da sola?
– E tu quanti ne hai?
– Ventuno.
– E a ventuno non sai dire altro a una ragazza?
– Te la tiri? Credi di essere simpatica?

Alice piange, ma così piano e così discretamente, e con la faccia tra le mani, che lui non se ne accorge e se ne va infastidito.

Lei apre gli occhi.

È sola, sotto un arco di luci di Natale, un arcobaleno di stelle rosse, un volo di uccelli di Plutone.

Esce che nevica forte e cammina in fretta.

Ci sarà pure un posto per dormire, nel paese delle Meraviglie.

UNA ROSA ROSSA

Nella sala riunioni erano sedute una ventina di persone. C'era un tale silenzio che si potevano sentire le bollicine frizzare nelle bottiglie di acqua minerale. I volti seri denunciavano l'importanza del momento. A capo del tavolo c'era un vecchio dal volto duro. Il mento aguzzo e le folte sopracciglia bianche lo facevano assomigliare a un rapace, un'aquila reale che dominava tutti dalle vette della sua autorità. Anche se un leggero tremito delle mani denunciava la fatica degli anni, lui era il capo, e ogni sguardo e gesto lo rivelavano.

– Avevo sedici anni, – iniziò il vecchio – età trionfante e sordida, meravigliosa e tristissima. E volevo, più di ogni cosa, una ragazza da amare.

Ma a sedici anni in quella città perbene, in quello scelto liceo, per accoppiarsi bisognava possedere due qualità: essere molto ricchi o molto belli.

Io non ero ricco, non potevo permettermi una moto, o bei pullover a losanghe colorate, o magliette alla moda. Indossavo, quasi tutto l'anno, dei maglioni di lana grossa fatti a mano, e odoravo un po' di naftalina.

Non ero neanche bello. Avevo i brufoli ed ero regolarmente spettinato. Sotto la mia bocca era scolpita una ruga amara, la stessa che ho mantenuto ora. Ero alto, ma ingobbito dallo studio, e avevo sempre le unghie sporche, per quanto cercassi di curarle.

Perciò, veri o falsi che fossero i miei difetti, io ne soffrivo, e stavo molto da solo.

La domenica pomeriggio camminavo per ore e ore, dal centro alla periferia più lontana, guardando le coppiette con invidia. Prima di dormire sognavo baci, effusioni e amori sfrenati.

Immaginavo discorsi e scene, commedie e drammi, in cui conquistavo o venivo conquistato.

Ma nella realtà ero solo. Ingiustamente, insopportabilmente solo, come si può essere a quell'età.

Davvero, vi domanderete voi, non possedevo nulla che potesse piacere a una ragazza? Ma sì, conoscevo tante poesie a memoria, avevo una bella voce e mi atteggiavo a maledetto. Qualche volta mi ubriacavo e venivo a scuola dicendo che avevo dormito in strada, o che avevo partecipato a qualche rissa in un bar notturno. Qualche ragazza si interessava, ci credeva, ma poi preferiva uscire con uno che raccontasse delle bugie più normali.

Finché conobbi Fiorenza.

Venne nella nostra classe al secondo trimestre, trasferita da un'altra città. Tutti, alunni e professori, ci innamorammo di lei al primo sguardo.

Era alta, snella, con gli occhi color nocciola e una frangetta ribelle. Quando la scostava, liberandosi la fronte con un gesto della mano, mi veniva in mente il voltar pagina di uno spartito musicale.

Aveva un neo sulla guancia, antico e delizioso. Una voce dolce e sottile, anche se non parlava molto. A scuola era brava, cordiale con tutti ma riservata.

Il suo fascino consisteva proprio in questo: nell'essere sempre, e con grazia, irraggiungibile.

Per i miei compagni, si dava delle arie. Per le compagne, era presuntuosa o timida. Per i professori, era un po' superba.

Ma ne parlavano così perché il loro amore era respinto.

Solo io capivo.

Fiorenza era speciale, unica. Un fiore raro, trapiantato in un terreno che non era il suo.

Perciò cominciai a parlarle. Presi coraggio proprio perché ero senza speranza. Già da tutto il liceo gli alunni più anziani, richiamati dalla sua bellezza, venivano a corteggiarla e si prostravano ai suoi piedi. Cercavano di interessarla recitando ruoli spavaldi, buffoneschi, tenebrosi o mondani. Nulla da fare.

Lei li teneva lontani, con un sorriso dolce in cui era disciolta una goccia di pungente crudeltà.

Con me invece parlava volentieri. Di letteratura, della sua infanzia. Era nata in campagna come me, lei ricca, io povero. Come me si era arrampicata sugli alberi, e conosceva il buio stellato, il rumore del secchio nel pozzo e il mistero del fuoco nel camino.

Così mi innamorai di lei, come tutti, ma in modo diverso da tutti. E nel mio ingenuo, folle sogno, pensai di esserne il preferito.

Ahimè. Dall'Università arrivò il mio invincibile rivale. Un ragazzo biondo, bellissimo, per metà tedesco, che cambiava pullover e camicia ogni giorno e aveva una Vespa bionda come lui. Ogni giorno veniva a corteggiare Fiorenza all'uscita della scuola, finché una mattina lei salì sulla Vespa dorata. Le braccia allacciate al collo di lui, un sorriso sotto la frangetta che il vento scompigliava.

Intuivo che quel corteggiatore poteva rubarmela. Così la disperazione mi fece osare, e mi spinse al gesto che cambiò la mia vita.

Sapevo che uno dei desideri di Fiorenza era andare a Venezia.

Una mattina, senza neanche preparare le parole (sarei diventato pazzo a cercarle) la fermai nel corridoio e le dissi:

"Verresti con me a Venezia domenica? Dalla mattina alla sera? Offro tutto io".

"Mi piacerebbe," disse lei, "va bene."

Potete immaginare la gioia, la febbre, e la pena che mi diedero quelle parole. Avevo solo tre giorni per preparare la gita. E ogni minuto il mio umore cambiava. Un istante, ero felice e immaginavo di averla già tra le mie braccia, e di poter raccontare a tutti la mia conquista. Il minuto dopo mi sentivo sull'orlo di un abisso, temevo che qualcosa di inatteso avrebbe rovinato tutto, che lei non poteva accontentarsi di uno come me, che aveva accettato per compassione, o per raccontarlo alle amiche e deridermi.

Ma il problema principale era che non avevo una lira.

Bisognava trovare i soldi del treno, offrirle il pranzo, e prevedere un extra per eventuali piccole spese. Avevo calcolato che mi servivano almeno cinquemila lire, e io ne avevo da parte tremila.

Lavorai. Lavai auto, feci lo sguattero, scaricai casse al mercato. Ma ero giovane, e poco scaltro, mi fregarono. Al momento di venire pagato, non riuscii a racimolare che milleottocento lire.

Il biglietto per due, andata e ritorno, era di duemila e quattrocento lire.

Ne restavano milleseicento per mangiare e ottocento per gli imprevisti.

Arrivammo a Venezia in una mattina fredda, nebbiosa, meravigliosa. Lei aveva un cappotto arancione e un baschetto nero, sembrava un'attrice del cinema. Io mi ero fatto prestare un giaccone blu da marinaio e mi ero dato un poco di brillantina, ma solo un poco, anche sulle sopracciglia. Insomma, non mi sentivo né brutto né bello. E poi, al suo fianco, tutti mi guardavano in un altro modo.

Passeggiammo per ponti e per calli. In quelli più stretti ci sfioravamo, e questo mi faceva tremare. In uno dei tanti negozietti lei vide un animaletto di vetro. Un cigno roseo, trasparente. Osai, costava seicentocinquanta lire, glielo regalai.

Camminavamo fianco a fianco. I suoi sorrisi e i suoi sguardi erano da amica. Forse mi riteneva simpatico ma innocuo, le piaceva l'idea di non dover difendersi né temere recite di seduzione.

Mentre lei scattava foto con una piccola Leica (seppi solo dopo che era una macchina di gran classe) io svicolavo e consultavo tutti i menu all'aperto dei ristoranti, facendo il conto di quale mi potevo permettere.

Così quando lei disse "Ho fame", sapevo già dove andare. Né troppo caro, né troppo misero.

Era una piccola trattoria ai bordi di campo San Giacomo, con i tavoli all'aperto. Sapevo praticamente a memoria il prezzo di tutto.

Lei ordinò per mille lire. Calcolando il coperto, sapevo che potevo spenderne settecento. Presi solo polenta.

"Piatto campagnolo," dissi ridendo.

E per la prima volta lei mi guardò in modo strano, con vera dolcezza.

Pagai il conto con precisione chirurgica. Mi restavano in tasca cinquanta lire.

Andammo in riva alla laguna, su una panchina. Un tiepido sole ci scaldava, i passeri mendicavano briciole. Restammo lì a lungo, intorpiditi e ciarlieri. Lei mi raccontò della sua infanzia in campagna, in una villa grande e fredda, di un padre severo e di una madre assente. Si confidò: disse che il nostro liceo e la città guardavano troppo alle apparenze. Lei era venuta lì per conoscere il mondo, perché era sempre stata trattata come una principessa, ma principessa non era. La sua famiglia era decaduta. Avrebbe dovuto lavorare. Le piaceva l'idea di studiare agraria, piante, fiori e coltivazioni.

Io lei parlai della mia infanzia con qualche bugia e qualche verità.

Certo, non le raccontai del presente, dei miei pomeriggi di domenica e della solitudine.

"E come stai tu in città?" mi chiese, voltando la pagina dello spartito.

"Oh," risposi, "ho tanti amici."

"Davvero?" disse lei. "A me sembri così solitario..."

"Non sono solitario," le dissi. E stavo per aggiungere: sono solo, è diverso.

Ma in quel momento una barca antica, con la prora dorata e i vogatori in camicia rossa, ci passò lentamente davanti. Gridavano forte, si allenavano, e noi la seguimmo con lo sguardo, in una nube di vapore luminoso, finché non scomparve.

Il grande acquerello delle facciate davanti a noi sfumava dentro il tramonto.

"È ora di tornare," disse lei, con un brivido di freddo.

Fu come se mi fossi svegliato di colpo, nel cuore della notte. I rumori, la luce, il suo volto entrarono in me come un fiume in piena. E capii che la amavo, che lei era lì davanti a me e avrei dovuto fare qualcosa, dire tutto quello che provavo, o avrei rimpianto quell'istante tutta la vita.

Invece restavo muto, paralizzato, e riuscii solo ad annuire, mentre il cuore mi batteva forte.

Ma mentre percorrevamo la ragnatela delle calli, e nuovamente i nostri corpi si sfioravano, ripresi coraggio.

Stavo per dire qualcosa di appassionato, irrevocabile, ingiustificabile, irrimediabile quando lei vide una bancarella di fiori. Una grande tavolozza di rose rosse e gialle, riflesse nel grigio dell'acqua.

"Oh, le rose!" esclamò. "Quanto mi piacciono..."

Impallidii. Tormentai la misera moneta che avevo in tasca. Per un attimo odiai Fiorenza. Come poteva non sapere che ero povero, che non potevo soddisfare ogni suo capriccio? Lo faceva apposta, aveva capito cosa stavo per dirle?

Furono attimi lunghissimi. Poi lei capì il mio imbarazzo.

"Dicevo così per dire, non voglio che me la regali, sei già stato tanto gentile."

Il ritorno in treno fu pieno di silenzi. Lei era dolcissima, ogni tanto poggiava la testa sulla mia spalla. Io restavo un po' rigido, temevo di odorare troppo di brillantina. Forse avrei potuto baciarla. Ma il mio animo era un rogo dove bruciavano insieme amore, orgoglio e rabbia.

Non riuscivo a dimenticare quell'istante. La rosa impossibile, la rosa negata.

Forse un solo fiore sarebbe bastato. Potevo rubarlo. Potevo inventare qualcosa. Non lo avevo fatto.

Lei quasi dormiva. Non le importava, non poteva capire il mio dolore, forse aveva già dimenticato. Ma io non dimenticavo. Mentre il vagone sferragliava e vibrava, avvertivo insieme il calore del suo corpo, e il bruciore di quella ferita, insanabile. E già il treno entrava nella stazione di arrivo.

Il vecchio fece una pausa assai teatrale, passandosi una mano sugli occhi come a cancellare ogni immagine del racconto.

– Ecco la mia storia – concluse con un sospiro. – Volete sapere come finì? Finì che la mia bella compagna si fidanzò con il ragazzo tedesco. E dopo la scuola non la rividi più. Ma non l'ho mai dimenticata.

Un silenzio imbarazzato e rispettoso calò nella sala. Qualcuno tossicchiava.

– Forse ora, signori, – disse il vecchio guardandoli uno per uno – potete comprendere perché sono diventato il più grande vivaista e floricultore del mondo, un uomo ricco e importante. Forse potete capire perché tutte le nuove varietà di rose che ho inventato cominciano per F: Francine, Federica, Fanny... e Fiorenza.

Naturalmente ho imparato a conquistare le donne, a comprarne anche qualcuna, e ne ho avute tante.

Ma non fui mai così eroicamente appassionato e sconfitto, mai desiderai una donna con tanto tormento, niente mi è più caro e crudele di quel ricordo.

Per questo, oggi cedo la mia azienda a voi, amici compratori. La cedo in modo improvviso e incomprensibile, ha detto qualcuno. Ma c'è un motivo nella mia fretta, e nel mio desiderio di concludere tutto oggi.

Il vecchio chiuse gli occhi e per un attimo sembrò sopraffatto dall'emozione, poi riprese:

– Da quasi cinquant'anni, ogni giorno dell'anno, ho mandato una rosa a Fiorenza. Senza cercare di rivederla, senza un biglietto, solo una rosa anonima e splendida, diversa ogni volta. Ma non ne manderò più, Tre giorni fa ho saputo che lei è morta. Nulla mi interessa più a questo mondo. I fiori che ho creato, la mia azienda, la mia fortuna, sono nati e cresciuti per sanare la ferita di quel giorno. So che molti di voi mi credono un cinico affarista. Forse lo sono, o lo sono stato. Ma anche le mie spine hanno un fiore. Il fiore di un ricordo. Ora sapete la verità. Scusatemi, se vi ho annoiato col triste racconto di un vecchio.

Passò un attimo di silenzio. Poi le sedie di pelle scricchiolarono, si levò un brusio, e uno dei presenti si alzò in piedi. Era un uomo dalla bianca chioma leonina, un altro capo, come dimostrava il fatto che fosse seduto proprio dirimpetto al vecchio. Parlò, e non si vergognava di avere gli occhi pieni di lacrime.

– È una storia bellissima, commendatore. Siamo onorati di acquistare la sua azienda e di portare avanti il suo lavoro, nato in modo così sfortunato e nobile. Firmeremo il contratto oggi stesso.

– Grazie, – disse il vecchio – e buona fortuna.

Uscì appoggiandosi al bastone, accompagnato dal segretario. Intorno a sé sentiva gli sguardi commossi e ammirati di tutti.

Si chiuse nel suo ufficio. Il segretario gli servì una tazza di tè. Lui prese un sorso, poi rise.

– L'hanno bevuta...

– Credo di sì – disse il segretario.

– Quando scopriranno i buchi nella contabilità e la situazione patrimoniale, allora sì che piangeranno – disse il vecchio, con una smorfia beffarda.

– Sì, commendatore. Mi scusi la confidenza, io l'ho vista spesso fregare la gente, ma questo è stato il suo capolavoro...

– Rose rosse... Venezia... la bella compagna di scuola – disse il vecchio, guardando fuori dalla finestra. – Come si può essere così creduloni?

Il segretario, per tutta risposta, gli porse un fazzoletto.

– Prego, commendatore, – disse – lei ha le lacrime agli occhi.

– Per il ridere – disse il vecchio, con un filo di voce.

– Certo – disse il segretario. Lentamente uscì dall'ufficio e chiuse la porta, lasciandolo solo.

PARI E PATTA

È un ristorante elegante, luci morbide, pochi tavoli, molti bicchieri.

Musica: relax post-aerobica.

Porzioni: minimali.

Camerieri come ballerini, in gilè noisette e farfallino nero.

Odore: Chanel e gamberoni.

Guardate quella coppia.

Lui alto raffinato, naso aquilino, capelli lievemente tinti, un fazzoletto viola che spunta dalla tasca del blazer.

Lei alta raffinata, naso un po' ritoccato labbra rimpolpate, ampia scollatura seni quasi veri, gambe lunghe, insomma ancora fascinosa.

Non si guardano. Lui sorseggia del vino bianco, cercando nel dorato controluce un argomento. Lei rosicchia un gambo di sedano e fa ondeggiare nel vuoto il piedino attrezzato di tacco a spillo.

Il cameriere immobile, volto da pugile gentile, li guarda, pronto a soddisfare qualsiasi loro desiderio.

Lui posa il bicchiere e intarsia le dita le une nelle altre, le poggia sotto il mento e si prepara a comunicare.

Lei fracassa i resti del sedano, giocherella con uno dei suoi sedici braccialetti e si prepara ad ascoltare.

– Come lo hai scoperto? – dice lui.

– Dal cellulare.

– Allora mi spii.

– Sì che ti spio. Così impari a lasciarlo in bella vista sul letto.

– E cosa hai trovato?

– Un messaggino... *caro, ieri sera sei stato un toro*... Ho richiamato il numero... e mi ha risposto la vacca. La Dori, guarda caso.

– Me l'hai presentata tu...

– Sei un porco. Stavolta non la passi liscia. Te l'avevo detto, alla prossima si va dall'avvocato, beni separati, case divise...

– No cara, non mi scarichi così. Anch'io ti ho beccato.

Si guardano. Il cameriere porta in tavola, sorridendo, un tortino di tartare di tonno tremulo. Poi si allontana e resta immobile vicino alla vasca degli astici ammanettati.

– Ti ho beccato sul tuo computer – dice lui a bocca piena.

– Allora mi spii.

– Certo che ti spio. Così impari a lasciarlo aperto senza password. Sono andato nella tua posta. E ho trovato la mail di Federico.

– Scherzava...

– Non scherzava... c'era una perfetta descrizione del tuo vocabolario orgasmico.

– Va bene, allora pari e patta?

– Pari e patta.

– E invece no, – dice lei – perché se proprio vuoi sfidarmi ho in serbo la mossa segreta. Un mese fa, nella tua giacca, ho trovato il conto di un albergo di Taormina. Camera doppia. Ho fatto telefonare a mio zio, quello che lavora in questura. Insieme a te, alla camera 210 è stata registrata tale Romina Fanti. La tua segretaria culo d'oro, immagino.

– Sei morbosa e maleducata... anche dentro le giacche guardi.

– Sì, quindi vinco io. Due corna a uno. Domani andiamo dall'avvocato. Voglio la casa di Cortina e il fuoristrada Cherokee, per cominciare...

Si guardano, il tortino di tartare di tonno tremulo aspetta.

– Non ce la puoi fare contro di me, cara. Ti ricordi un mese fa, quando sono andato al congresso a Londra? Beh, c'era sciopero degli aerei e sono tornato a casa senza avvertirti. C'era l'auto di Franco sotto casa.

– Non vuol dire niente.

– Ho aperto la porta piano piano, non ve ne siete accorti, stavate scopando sulla moquette...

– Bastardo. E non hai detto niente?

– No, sono uscito e ho detto: questa me la tengo buona per quando rompe i coglioni coi miei tradimenti. Infatti adesso siamo due a due.

– E dove sei andato dopo avermi scoperto?

– Ho dormito da mia madre.

Si guardano. Il tortino sbava e cola.

– Ti credi furbo, ma io lo sono più di te. Quella notte, quando Franco è andato via, ho sentito alla televisione che c'era sciopero. Ho telefonato al tuo albergo a Londra e non c'eri. Allora ho telefonato allo Sheraton di Linate, conosco il portiere, mi ha passato la tua camera e ha risposto una bella voce con accento straniero. Un bel troione brasiliano, immagino. Altro che dormire da tua madre...

– Come hai fatto a pensare allo Sheraton?

– La mattina dopo avevi l'aereo alle sette e mezzo. Hai scelto l'albergo vicino all'aeroporto, e la troia più comoda, ovviamente. Sei pigro anche come puttaniere. Tre a due.

– No, cara. A Londra con me al congresso c'era Gilberto, e mi ha detto tutto. Era disperato...

– Non sono mai stata con Gilberto.

– Ma con sua moglie Giovanna sì. E lui ripeteva: mia moglie mi tradisce e, quello che è peggio, sospetto che sia con una donna, le ho viste entrare di soppiatto in un albergo in zona Fiera. Allora ho ripensato alle spalmate di crema solare che tu e lei vi davate quest'estate, ho telefonato a Giovanna e le ho detto: so tutto, e lei si è messa a piangere. Ha detto: non dire niente a Gilberto... Insomma, tre a tre.

– No, caro... perché in seguito Gilberto lo hai consolato tu...

– Non hai le prove.

– Il mio parrucchiere, che è il re del gossip gay cittadino, vi ha visto entrare nel privé del Bang Bang.

– Non può essere. Gli ho dato duemila euro per stare zitto.

– Io tremila...

– Come hai sospettato?

– Ho trovato il costume da Batman, nascosto nel tuo armadio, dietro la roba da sci. Ho telefonato a Giovanna e lei ha scoperto quello da Robin nell'armadio di Gilberto...

– Va bene, cazzo, quattro a tre per te, ma non la spunterai.

– Sentiamo cos'hai da tirare fuori.

Il tortino barcolla.

– Estate del 2002, con quel palestrato animatore del villaggio vacanze. Ho una polaroid.

– Bastardo. Inverno 2003, ti sei trombato la massaggiatrice dell'albergo. Lei lo ha raccontato al mio maestro di sci.

– Ecco, dimenticavo, il tuo maestro di sci. Cinque pari.

– Vaffanculo, le massaggiatrici erano due, c'era anche quella grassottella coi denti guasti. Che gusti orrendi hai.

– Parli tu. Due anni fa, con quel rospo del commendator Grassi...

– Ma sei tu che mi hai imposto di corteggiarlo, per favorire quel tuo appalto.

– Ti avevo detto di fare la carina, non di fargli una pompa sotto il gazebo. Me l'ha detto il suo medico curante...

– Va bene. Ma tu hai trombato sua moglie, quella vecchia rifatta.

– Era sempre per quell'appalto.

– Vale lo stesso, sette a sei.

– Sette a sette. Mi ero dimenticato il tuo istruttore di equitazione, quella specie di bovaro con gli stivali.

– No, caro. Quello lo avevamo già conteggiato nel bilancio di cinque anni fa, quando finì nove a nove. Non puoi contarlo due volte. Non bluffare, ho ancora la lista sul computer, possiamo consultarla.

– Ah, già, il computer. Dimenticavo, nella mail Federico parlava anche di un suo amico che si è aggiunto alla festa... quindi sette pari.

Si fronteggiano. Si guardano. Il tortino crolla liquefatto.

– Va bene, pari e patta. Per stavolta l'hai scampata.

– No, *tu* l'hai scampata.

Lui le prende la mano. Cerca di svitarle dal dito un anello con lo smeraldo.

– Troia – sibila.

– Porco – sussurra lei.

Mano nella mano, mentre il tortino cola giù dal tavolo e la luce della candela trema per il loro respiro affannoso.

Come si amano, pensa il cameriere.

LE LACRIME

Le prime apparvero all'alba in periferia. Gli addetti alla spazzatura ne trovarono una decina in un prato. Stavano per caricarle sul camion, pensando che fossero sacchi di plastica, quando si accorsero della loro stranezza.

Grandi bolle sgonfie, meduse traslucide, alcune ovali, altre oblunghe, talune di forma irregolare, come un frutto flaccido e malformato. Al tatto non erano viscide né molli, ma possedevano la consistenza della pelle di un animale, un delfino ad esempio, mentre alcuni avvertivano il calore di un tessuto morbido. In realtà, parevano consistere di materia diversa a seconda di chi le avvicinava. Anche se sembravano guaste, morte, non emanavano cattivo odore. Erano di colori tenui e incerti, dal giallo chiaro all'azzurro perlaceo. Ma quello che colpì i primi scopritori fu che dentro alla materia opalina, lattescente, di alcune di esse sembrava apparire, a tratti, l'ombra di un volto, o l'istantanea di una scena, e qualche volta dall'interno esalava un lieve suono, una voce remota.

Le autorità presero in mano la situazione. Le lacrime, o lacrimoidi, come furono subito battezzate, furono esaminate in luoghi diversi. Alcune furono portate all'Istituto di medicina legale, altre alla facoltà di Zoologia, e un paio, segretamente, a un laboratorio militare che si diceva specializzato nello studio di apparizioni aliene.

In un primo tempo corse la voce che potessero essere pericolose uova marziane, pronte a schiudersi e scatenare un'invasione. Ma le analisi stabilirono che non erano forme di vita, almeno come noi le intendiamo. Non avevano organi né metabolismo, erano inerti, formate da materie terrestri, silicio, carbonio, sali, anidride carbonica, mucine e lipidi, anche se combinati in modo assai strano, né minerale né vegetale, qualcuno disse primordiale, senza sapere spiegare di più.

Ma studiarle a fondo non era facile: se si cercava di penetrarne le pareti svanivano quasi senza lasciare traccia, riducendosi a una goccia che evaporava in pochi istanti. Alcune si dissolsero sotto gli occhi degli scienziati, quasi non sopportassero neppure uno sguardo indagatore.

E il giorno dopo, un centinaio di lacrimoidi furono segnalati in varie parti di quella città. In cortili, in strade, anche sul terrazzo di una casa.

Chi le trovava confermava che si potevano toccare, ma appena si provava ad aprirle, si dissolvevano. E svanendo esalavano nell'aria rumori simili a voci umane, e sprigionavano riflessi e colori, schegge di aurora boreale. Ma nessun registratore o telecamera riusciva a catturare il minimo suono o immagine.

Non erano urticanti, né velenose, né tossiche, stabilì l'apposita commissione scientifica. La conclusione era quindi che, con ogni probabilità, si trattava di grosse, anomale gocce di pioggia, che l'inquinamento aveva reso mutanti, mostruose. Non era escluso che contenessero qualche tipo di gas sconosciuto, in grado di causare lievi allucinazioni uditive o visive.

Inutile dire che su stampa e televisione uno sciame di esperti si scatenò a ipotizzare e teorizzare, anche perché la città era ormai invasa dai lacrimoidi. Per gli scienziati erano il frutto inquietante dell'incombente marasma climatico. Per i fanatici religiosi erano un avvertimento soprannaturale. Per i politici erano il risultato della dissennata politica ambientale della parte avversa. Per gli intellettuali erano materiale poetico scadente, anzi meraviglioso, anzi indicibile, e la polemica li torceva in liti interminabili.

Un giovane medico scrisse in un articolo di aver notato una particolarità. Molti, quando si avvicinavano alle lacrime, erano colti da una sottile malinconia. Non paura, né angoscia, ma l'indefinibile sensazione di ritrovare qualcosa di conosciuto. Una confusa nostalgia.

La reazione della scienza ufficiale fu secca: da sempre la suggestione crea fantasmi, che poi svaniscono alla prima prova empirica. Goccioloni di pioggia, e basta.

Ma le rassicurazioni non bastavano. Di giorno in giorno i lacrimoidi si moltiplicavano, i camion ne scaricavano centinaia nell'inceneritore fuori città, anche se sarebbe bastato farle scoppiare. Si temeva il mistero della loro fragilità o qualche oscuro contagio?

Solo una piccola parte veniva ancora conservata e studiata. Ma intanto si moltiplicavano e invadevano le strade. Prendere a calci i lacrimoidi e farli scoppiare divenne per teppisti vecchi e giovani uno sport abituale, anche se c'era una multa. Nel frattempo i misteriosi invasori erano diventati più piccoli, ma sembravano, per così dire, più vivaci, quasi arrabbiati. Cadevano in testa alle persone. Avevano fremiti improvvisi. Nello svanire, alcuni emettevano un grido animale, altri diffondevano una morgana di luce sanguigna. Uno ferì lievemente un bambino, con una vampata bollente.

La città accolse inizialmente con piacere i turisti in visita. Fu allestito uno speciale parco, con vasche in cui i lacrimoidi erano esposti, con giochi di luce e musica. Ma dopo neanche un mese, la moda turistica svanì. Migliaia di portachiavi di plastica molliccia restarono invenduti. I comici non li usarono più nelle loro battute. Nessuno sapeva più cosa pensare di loro. Continuavano a moltiplicarsi, e la gente cominciava a detestarli. Ma non tutti li odiavano. Qualcuno, preso da una strana attrazione, li teneva in casa. Una donna si buttò da un tetto stringendone uno tra le braccia, e subito si sostenne che avevano un potere malefico. I giornali ebbero l'ordine di non parlarne più, gli scienziati si arresero. Non si potevano cucinare. Non si potevano vendere. Bisognava dimenticarli.

Finché una sera, uno scienziato più cocciuto degli altri stava studiando una lacrima che aveva trovato nel giardino. L'aveva stesa sul tavolo, oblunga e lucente, e guardava i suoi cambiamenti di colore.

Entrò il figlio di sette anni.

Osservò con attenzione e disse: – Io so cos'è.

Lo scienziato rise.

– Non ridere, papà – disse il ragazzo. – Quello è un sogno. È il sogno che mi hai raccontato il mese scorso, quando hai detto che volevi andare a lavorare su quell'isola, per studiare le malattie degli indigeni. Vedi, dentro si vede, il mare e l'isola. Se ascolti, puoi sentire le voci di quegli uomini lontani. E questo, – disse indicando col dito una parete del lacrimoide – sei tu.

A quelle parole, la lacrima si ingigantì, divenne quasi sferica, e per un attimo fu visibile allo scienziato il sogno intero, il paesaggio e i volti.

Sulle prime non volle convincersi. Fece altre analisi. Il figlio lo guardava scuotendo la testa.

Finché una sera, alla luce del tramonto, lo scienziato vide chiaramente dietro la materia opalina l'immagine di una donna che aveva amato.

Così capì: i lacrimoidi erano sogni trascurati, mai coltivati con cura, mai seguiti con passione. Sogni perduti senza combattere, sogni buttati via. Lo scienziato ne parlò con il suo capo. Quello non gli credette, anzi si arrabbiò, sembrava che quell'idea lo sconvolgesse. Disse che ormai i lacrimoidi stavano diminuendo, non valeva la pena di rinfocolare l'interesse. Guai a lui se diffondeva quella assurda teoria.

Infatti i lacrimoidi scomparvero.

Il comune licenziò gran parte degli operatori addetti alla ripulitura. Un libro, *Il mistero delle lacrime aliene*, neanche arrivò in libreria. Un ultimo lacrimoide, chiuso in una teca del museo, si dissolse.

Poi, una mattina, la città si ritrovò immersa dentro una grande bolla trasparente. La gente respirava a fatica. E volti, parole, iniziarono ad appannarsi...

ORLANDO FURIOSO D'AMORE
(L'Orlando impellicciato)

Amor, con che miracolo lo fai,
che 'n fuoco il tenghi, e nol consumi mai?

LUDOVICO ARIOSTO, *Orlando furioso*

Orlando si ferma nel cortile e piscia guardando la luna che lo illumina comprensiva. L'astro ha una ghigna verdastra, brutto presagio. Non c'è appoggiata al muro la bicicletta di Angelica, l'avrà portata dentro. Orlando sale le scale cercando di scuotersi di dosso i duemila chilometri di camion che ha sulla gobba. Apre la porta. Il gatto lo accoglie con uno sbadiglio. La luce in cucina è accesa. Sul tavolo ci sono i maccheroni, freddi come al solito, e una lettera. La calligrafia di Angelica, che dice così:

> *Caro Orlando,*
> *quando leggerai questa mia sarò lontana. Ci ho pensato bene. So di darti un dolore, ma non ce la faccio più. È meglio per me e per te. Non cercarmi, non servirebbe. Dai da mangiare al gatto. Non lasciare aperto il gas. I maccheroni sono sulla tavola. Addio.*
> *Angelica Corato in Paladini*

Allora Orlando Paladini si mette le mani nei capelli e tira così forte che strappa due ciuffi di un etto. Poi lancia un urlo che atterrisce il paese fino a fondovalle. In rapida successione bestemmia la Trinità e tutti i santi compreso sant'Igino, santo quasi mai enumerato in blasfemia. Grida cento, duecento volte, finché gli manca la voce. Scaglia il piatto coi maccheroni contro il soffitto e il fiasco del vino fuori dalla finestra. Prende la rincorsa e dà di testa contro al muro, quattro volte nei punti cardinali. Tira un calcio al televisore e lo sfascia. Pesta il telecomando sotto i piedi, solleva il frigorifero con immane sforzo e lo lancia giù dalla finestra. Poi si dà due pugni in faccia e altri due nei marroni. Va in camera da letto, prende il letto, cerca di spaccarlo in due, non ci riesce, si carica in spalla rete e materasso e tira giù dalla finestra anche quelli, compreso il gatto avvinghiato. Svita l'asse del cesso, poi svelle il cesso in persona e lo tira giù in cortile sul tetto del camion.

Poi va in terrazzo, dove ci sono le piante che Angelica curava. Estirpa il geranio, straccia la salvia, scortica il rosmarino, afferra un cactus e senza badare al dolore lo strizza e lo butta dalla finestra. Tronca in due il ficus e per ultima afferra una grande pianta di basilico, nata insieme al loro amore e cresciuta rigogliosa. La sradica dal vaso e con urlo tremendo la lancia nel vuoto.

Poi, stremato e piangente, si siede. Beve un bicchiere di vino (i fiaschi erano due, ha lanciato dalla finestra quello tristo), trita il bicchiere tra le mani, beve tutto il fiasco, ribestemmia, geme, cade in ginocchio, e piange tutta la notte con la lettera tra le mani.

Arrivano i vicini, entrano e lo trovano così, schiantato dal duolo. Piange, vomita e rutta, rutti lamentosi e sconfitti. Poi si calma. Raccoglie tutti i maccheroni uno per uno, va con la scala a staccarli dal soffitto e li rimette nel piatto. Scende in cortile, riporta su il materasso e il frigorifero, raccoglie una per una le foglie del basilico, ricompone il cactus. Mette a posto il televisore anche se non ha più lo schermo, solo un'orbita vuota e un'insalata di valvole. Rimette le pile nel telecomando. Ripristina il cesso e lo rincolla col silicone. Aggiusta il tetto del camion con una pezza di lamierino. Recupera il gatto e gli dà da mangiare.

È una settimana che è lì, chiuso in casa.

Fa tutto quello che Angelica ha scritto nella lettera. Sta seduto davanti al gas e controlla che non sia aperto. Dà da mangiare al gatto dieci volte al giorno, i primi tempi il felino gradiva, adesso sembra un pallone da rugby e non ne vuole più. Nella sua ciotola ci sono un chilo e mezzo di croccantini impilati. I maccheroni sono sempre lì sul tavolo, hanno fatto la muffa e sembrano il cervello di un marziano. Il basilico marcisce in un vaso, e Orlando lo alluviona ogni ora.

Il misero non parla, sta con lo sguardo fisso alla porta. Ha trovato uno dei pochi reperti che Angelica non ha portato via, una pelliccia di succedaneo di visone, forse lapin tapin o nutria di padule. Ci si è avvolto nudo, in un delirio di tarme e rêverie. Sembra un orso lavato a secco. Ogni tanto mangia una crosta di pane, un pezzetto di cactus, o un croccantino del gatto, lui che era un mangiatore leggendario. È dimagrito dieci chili, piange, guaisce e gnaula. Finché una notte mette in moto il camion e punta verso il canale. Ma gli amici, temendo qualcosa di simile, gli avevano preventivamente ciucciato via la benzina. Si arena a venti metri dal fosso. Lì si ferma, si sdraia nella cabina e non esce più. Ogni tanto qualcuno gli butta dentro un panino. Ogni tanto lui tira fuori dal finestrino un pitale di merda. Dal mangiacassette del camion giungono le note di *Maledetta primavera*, la canzone preferita di Angelica. La donna è sparita, l'hanno vista prendere la corriera all'alba, dopo dieci giorni di ricerche nessuna traccia. Gli amici decidono che bisogna fare qualcosa prima che Orlando sbielli del tutto. C'è un solo uomo che può risolvere la situazione. Quell'uomo è Astolfo Micium.

Astolfo è il nome, Micium il soprannome per la somiglianza con l'attore Robert Mitchum, idolo degli ambosessi del paese. Alto e un po' curvo, con la fossetta sul mento e la sigaretta penzolante dalla bocca, Astolfo è uomo di multiforme ingegno e grande esperienza del mondo. Ha percorso tutte le strade d'Italia e d'Europa come autista di ambulanza, di carro funebre e di autosnodato. Ne sa più di un atlante. Ha visto le nevi scandinave e gli oliveti spagnoli, le taighe dell'Est e l'oceano lusitano. Ha salvato vite a sirene spiegate, altre le ha accompagnate nell'ultimo viaggio, ha portato infartuati all'ossigeno e mucche al macello, ha caricato grandi presse e chicchi di grano, e pesavano uguale. Ha avuto amori in vari mercati ortofrutticoli e porti, donne hanno sospirato per lui a diverse longitudini. Tutti conoscevano il suo camion, il leggendario Iveco Pugacioff, con corna di toro sulla cabina e la scritta "*Se il motore tace il cuor non si dà pace*". Ma un giorno accadde qualcosa di fatale, mai del tutto spiegato. Fu nell'inverno del '93. Micium trasportava un carico di maiali verso il Nord. Un camion nero e misterioso saltò la corsia, e per evitarlo lui uscì di strada. Quasi tutti i maiali morirono. Ce n'era uno, enorme e grigio, steso in mezzo alla strada, il collo rotto e un grumo di sangue nell'orecchio. Micium gli sollevò la testa e lo tenne in braccio come un bambino. Dice la leggenda che, dopo alcuni istanti di drammatico silenzio, il maiale sospirò e disse:
– Astolfo, c'è una cosa che devi sapere, avvicinati...
Quello che il porco morente gli confidò all'orecchio non si è mai saputo, il suino spirò serenamente, del camion folle e nero non si trovò traccia. Ma da allora Micium non guidò più. Andò a vivere in un camper, in riva al fiume. E non volle raccontare più nulla di quel giorno e di quegli eventi, se non una frase che gli usciva di bocca talvolta, quando era ubriaco:
– Si muore davvero.

Micium fu convocato. Si decise che sarebbe stato fondato il Carso, Comitato Amici per il Recupero del Senno di Orlando. Oltre a Micium ne facevano parte:

Firmino Rubirosa rappresentante nel settore Profilattici Anche Aromatizzati, puttaniere insigne e conoscitore di ogni albergo della regione.

Il barista Olmo Nerozzi, detto Holmes, investigatore, deduttore, ipotizzatore, scacchista, sommelier.

La signora Amalia cornologa, giallista ed esperta di pettegolezzi.

Quadrello, tuttofare, muratore e marmista, vecchio amico di Orlando, nonché inventore del martello per piantare i chiodi rasoterra.

Nella prima riunione del Carso, si stabilì anzitutto che le ricerche di Angelica Corato erano difficili, per non dire impossibili. La donna aveva diciotto fratelli, tutti falegnami emigrati in varie parti del mondo. Alcuni segavano alberi in Amazzonia, altri costruivano cucù negli Emirati, altri ancora mensolavano su piattaforme petrolifere, uno era addirittura segnalato come falegname personale di un noto stilista.

Angelica poteva essere ospite di ognuno di loro e i Corato, si sapeva, non avrebbero mai tradito un consanguineo.

– Inoltre, – disse l'Amalia – quando una donna scappa non rimbalza indietro, il cuore c'ha le valvole, ma non le molle.

– Sì, – convenne Olmo Holmes – la passione è come una damigiana, sembra grande ma finisce anche quella.

Firmino Rubirosa, famoso per il suo esprit de finesse, aggiunse:

– Donne e scoregge scappano anche se non vuoi.

E Quadrello concluse: – Se un muro crolla, vuol dire che c'era una crepa.

Dopo questo bombardamento di sentenze, Micium disse che bisognava parlar meno e agire in fretta perché Orlando era sull'orlo del baratro. Non mangiava più, non dormiva e non lavorava. Era rientrato a casa, ma viveva nella sporcizia. Cambiava ogni giorno la ghiaia alla cassetta del gatto ma poi ci cagava lui.

Anche il gatto lo aveva lasciato.

Perciò, aspettando un improbabile ritorno di Angelica, bisognava restituire il gusto della vita a Orlando.

– E c'è solo un modo – disse Holmes. – Il vecchio chiodo scaccia chiodo.

– Sì, – puntualizzò il saggio Micium – ma bisogna saper scegliere il chiodo.

– Per me, – disse Firmino Rubirosa, così soprannominato in onore di un antichissimo playboy – ci vuole della gnocca.

– No – disse l'Amalia. – Se avesse voluto della gnocca, sarebbe già in giro a cercarsela.

– Per me, – disse Quadrello – bisogna tener conto delle sue propensioni.

Quadrello aveva recentemente ristrutturato la biblioteca del paese, e nell'intervallo dei lavori aveva letto molti libri e locupletato il suo vocabolario.

– Esatto – disse Micium.

Dunque, cosa piaceva a Orlando, o almeno a Orlando quando era dotato di senno?

Si fece un'accurata indagine, e si appurò che, nell'ordine, dopo Angelica, le sue passioni erano:

a) i camion;
b) il calcio;
c) i film di Dracula.

a) Conosceva infatti tutti i camion del mondo e li riconosceva dal rumore, a un chilometro;

b) tifava Petronia fin da piccolo e aveva sul camion la bandiera rossoblù e una foto del suo idolo brasiliano, Pepinho;

c) gli piacevano tanto i film di vampiri che si era fatto costruire sul camion una cuccetta di zinco insonorizzata, dentro alla quale dormiva come in una bara.

Quindi si cominciò con i camion. Micium caricò Orlando impellicciato in macchina e gli fece fare il giro della tangenziale. Ogni tanto indicava qualche meraviglioso Skania 164 madreperla motore V 8, o un Iveco Cursor con gru Bonfiglioli o un Volvo con betoniera Cifa o una Bisarca con carico di venti auto. Ma Orlando guardava fisso davanti a sé, e non dava segni di interesse.

Allora Micium portò Orlando al parcheggio della Grandiruote.

Era la concessionaria più fornita del paese, forse del mondo.

Lì c'erano i camion più grandi e belli, pronti a sfidare deserti, bufere di neve e lavori in corso.

Micium lo portò in un capannone. E gli mostrò il sogno di ogni camionista.

Il Cavaliere Solitario, un Kenworth verde e argento che aveva dipinta sul cassone una corsa di cavalli bianchi. Brillava in tutto lo splendore delle sue cromature, alto come un palazzo. Le poderose marmitte si innalzavano al cielo come canne d'organo e il radiatore sembrava un gigantesco diamante. Erano le sette di sera, ma quando accese i sedici fari si fece giorno pieno.

Micium fece sentire a Orlando la polifonica clacsonistica, ovvero le trombe del Cavaliere Solitario. La Mucca in Amore, il Bufalo Selvaggio, il Tuono di Thor.

Tutto il paese udì quel concerto stupendo.

Come ultima mossa, Micium accese il motore.

Fu una partenza strana e dodecafonica, come l'accordarsi di un'orchestra, poi si udì il meraviglioso adagio del minimo, coi pistoni e le bielle che andavano su e giù come archetti di violini.

Orlando ascoltava a occhi chiusi, in estasi.

Micium diede gas e liberò Fangio e Vulcano, Valchirie e Figari, tutto il capannone vibrò di meccanica potenza e sonorità, e si udì il crepitare della combustione primordiale, lo sfidarsi di precipitanti meteoriti, un ansito furente di draghi, il canto inimitabile del motore perfetto:

> *Rimbombano al rumor che intorno s'ode*
> *Le selve, i monti e le lontane prode.*

Poi di nuovo la musica sfumò in allegretto saltellante e nel tango lento della marcia in folle.

Micium e Orlando, come uscendo da una trance, aprirono gli occhi.

– Salta su, Orlando – disse Micium. – Non ti va di guidarlo?

Orlando esitò brevemente, poi salì. L'interno era rivestito di cuoio rosso, sembrava di entrare in un club londinese. Il volante era di legno pregiato, un timone di galeone. La ragazza del mese di "Playboy" aveva la cornice in radica. Orlando si sedette e per un momento parve ammaliato. Controllò il cruscotto, sistemò il sedile, provò la pedaliera. Poi accese l'autoradio. Corrugò la fronte e scoppiò in un pianto dirotto.

– La nostra canzone – balbettò.

Per un caso del destino la radio trasmetteva proprio *Maledetta primavera*, la canzone di Angelica.

Allora toccò a Holmes tentare di restituire il senno a Orlando, risvegliando in lui la passione calcistica. Comprò due biglietti di tribuna numerata e portò Orlando allo stadio. Lo mise a sedere comodo, con la pelliccia decorata da una sciarpa rossoblù. Gli fu dato anche un campanaccio da suonare. La partita era incerta e avvincente e Orlando sembrava seguire con attenzione, ma quando la Petronia segnò un gol, Orlando invece di esultare scoppiò a piangere.

– Angelica teneva al Lecce – disse.

La squadra avversaria era proprio il Lecce.

Si decise per l'ultima soluzione, quella più drastica, un vero elettrochoc. Orlando sarebbe stato aggredito da un vampiro. Furono fatti i provini per impersonare Dracula. Il ragionier Valligiani, reduce da un'epatite, possedeva il pallore necessario, ma pesava centotrenta chili, e più che il pipistrello poteva fare il tacchino. Si scelse Tonino, operaio verniciatore ammuffito dagli acidi, emaciato e con due canini considerevoli.

Tonino fu vestito con un ampio mantello nero. Era munito di giubbotto antiproiettile, nel caso Orlando volesse davvero piantargli un palo nel cuore. Fu issato su una scala e attraverso la finestra balzò nella cucina di Orlando.

Ma il salto fu maldestro, Tonino batté un ginocchio contro il frigo e gridò:

– Puttana della vacca troia zozza di tua mamma e di tutti i vampiri del cazzo!

Di fronte a quel parlare così poco transilvano, Orlando non ebbe ovviamente paura alcuna. Prese l'operaio Dracula per il mantello e lo scaraventò giù per le scale.

Passarono i giorni. Orlando peggiorava. La pelliccia era intrisa di lacrime e liquami, e puzzava come una fogna a cielo aperto. Il poveretto non mangiava più, neanche croccantini, e ogni ora si dava un colpo di padella in testa. Era più puntuale delle campane del parroco. In molti andavano a trovarlo, cercavano di distrarlo con discorsi motoristici e filosofici, ma invano. Ogni speranza sembrava perduta. Solo Micium non si dava per vinto. – Datemi altri due giorni di tempo – disse.

E una sera che Orlando stava disteso sul divanetto, contemplando la fotografia di Angelica, a Micium venne un'intuizione: in quella storia c'era qualcosa di strano.

Angelica era simpatica, sorridente e dotata di un culo espressivo, ma non era proprio bellissima. Anzi, era rotondetta e con un accenno di baffi. Era discreta cuoca e solerte ricamatrice, ma niente di più. Era anche mezza sorda, portava l'apparecchio acustico, e aveva un dente d'oro. Allora perché aveva stregato Orlando, camionista vigoroso e assai richiesto? Urgeva indagare in tal senso.

Fu Amalia a trovare l'indizio mancante. Una mattina, tutta eccitata, convocò il gruppo. Disse che era in possesso di una notizia sconvolgente. Durante una partita di tressette, aveva saputo da Teresa, ex amante di un camionista amico di Orlando, che una volta, in un bar di Zagabria, alla sesta birra, il loro protetto aveva pronunciato la seguente frase:

– Non ci sarà mai nella mia vita un'altra donna come Angelica, perché quello che lei fa per me a letto, nessuna potrebbe farlo.

Subito Rubirosa ricordò un'antica diceria: e cioè che i due ex amanti, in viaggio di nozze, erano stati espulsi da un albergo di Venezia. Ora si capiva perché: la loro prestazione erotica era stata così fragorosa da disturbare tutti!

Quadrello aggiunse che la camera da letto di Orlando e Angelica presentava diverse crepe, come se ogni notte ospitasse un sisma, e addirittura l'anno prima Orlando gli aveva chiesto di coibentarla e insonorizzarla. Non voleva che la colonna sonora del loro amplesso svegliasse il paese.

Holmes disse: – Ora che ci penso bene, la mattina Angelica aveva sempre delle gran borse sotto gli occhi.

– Ecco la chiave di tutto – concluse Micium trionfante.

Angelica, sotto l'aspetto tranquillo e scolorito, era una belva del sesso, un autosnodato dell'eros, una messalina sotto sembianze di massaia.

Quindi bisognava trovare una donna che fosse all'altezza delle sue prestazioni.

Ovviamente questo era compito per Firmino Rubirosa. Da anni, in virtù del suo lavoro – rappresentante di profilattici, scottex e fazzolettini –, conosceva tutte le lavoratrici notturne della regione.

Le raggiunse una per una e spiegò il caso: tutte si dissero disponibili, con sconti fino al sessanta per cento.

Da quella notte, per molte notti, ognuna di loro sarebbe entrata in casa di Orlando per sedurlo.

La frase per entrare era questa: "Sono la nuova vicina, potrebbe prestarmi per favore un po' di burro?".

E poi...

Così in casa di Orlando entrarono le più grandi professioniste della regione.

Tamara Tittimanna gli fece la danza delle sfere celesti.

Betty Biberon dalle labbra di lava tentò ventitré variazioni di pompaggio, compresa l'Avida Anguilla, il Frullo del Colibrì e le Variazioni Goldberg.

Wendy della Giungla fece il salto della tigre, lo graffiò, lo menò e gli masticò ambedue le orecchie.

Niente da fare. Orlando sorrideva appena, ma la sua virilità restava silente. Come disse Betty Biberon, è l'unico che sul lavoro mi si è ristretto.

Allora si tentò qualcosa di ancora più hard, ovvero peccaminoso, anche se Orlando aveva finito il burro e cominciava a chiedersi quante vicine aveva.

Irina venne addobbata come la Miss Maggio del calendario del camionista, e fece la danza dei sette copertoni.

Carolina venne vestita da benzinaia, tutta unta d'olio.

Ottavio il benzinaio venne tutto unto d'olio.

Niente da fare.

Si cadde nella pura depravazione. Una dopo l'altro si presentarono:

la nonna ottantenne di Quadrello, Saveria;

Amalia e suo marito nudi sotto un pellicciotto di astrakan;

il cane Tom;

Firmino Rubirosa vestito da Cappuccetto rosso;

una vera suora vestita da zoccola e viceversa;

una sosia di Angelica con i baffi dipinti;

dodici pecore di taglie diverse.

Tutto invano. Il comitato si riunì in assemblea straordinaria, per sciogliersi e ammettere che la partita era persa. In fondo, se Orlando voleva lasciarsi morire, quello era il suo destino. Meglio crepare d'amore, che schiantato contro un guardrail. Ma Micium non era ancora convinto, rimuginava. Una voce interiore, nutrita dalla sua vasta esperienza del mondo e degli uomini, gli suggeriva che avevano trascurato qualche particolare.

Così quella notte andò a casa di Orlando. Suonò, ma nessuno rispose. Eppure Orlando era in casa, nessuno lo aveva visto uscire.

Micium scalò il muro sino alla finestra della stanza da letto. La finestra era blindata e insonorizzata. Ma si poteva vedere dentro.

E quello che vide fu al di là di ogni immaginazione.

Orlando dormiva, avvolto nel pelliccione. Ma nella stanza c'era un poltergeist. Il letto tremava, il comodino ballava su una gamba sola, il lampadario dondolava come se ci fosse appeso un fantasma. Ogni oggetto oscillava e piroettava, e le lenzuola volavano mosse da un vento misterioso.

Orlando era posseduto?

Micium di colpo capì la verità.

Andò a prendere una scala, un cacciavite, risalì e smontò la finestra.

Appena il vetro blindato fu tolto, tutto il paese si svegliò.

Dalla casa di Orlando uscì il rumore di un vulcano in eruzione. Boati e sibili si sovrapponevano a un suono continuo di bordone, risuonava la fanfara di mille buccine, bombardini e corni di guerra, i vetri del paese tinnivano e andavano in pezzi, e infine quello spaventoso frastuono diventò un ruggito di tirannosauro, il precipitare del Niagara, una bufera di vento infernale.

Orlando russava.

Come nessun uomo al mondo poteva russare.

Ecco, tutto era spiegato. Orlando si vergognava di questo suo segreto. Perciò aveva fatto insonorizzare la camera da letto! Perciò nella cabina del suo camion c'era la bara di zinco! Per questo era stato cacciato dall'albergo la notte di nozze...

E per questo motivo, nessuna a letto era come Angelica.

Lei era l'unica che, essendo per metà sorda e per metà innamorata, poteva dormire insieme a lui.

Ma un giorno, anzi una notte, non ce l'aveva più fatta.

Il giorno dopo, a Orlando fu presentata una bella ragazza proveniente da un ridente paese limitrofo.

– Ti presento Luisa, – disse Micium – ma devi parlarle a gesti, è sorda.

Il volto di Orlando si illuminò.

Oh, incostanza dell'amore, o fatuità del maschio, o mutabile affanno del cuore, o menzogna della fedeltà sempiterna.

La settimana dopo Orlando e Luisa erano già fidanzati, e giravano per il paese mano nella mano. Lei ostentava una pelliccia nuova, anche se era maggio. Orlando aveva ripreso a mangiare e a guidare il camion. Anche il gatto era tornato.

Poco tempo dopo si seppe che Angelica stava bene e viveva in Canada, avendo per compagno un uomo con due scorrevoli narici e un respiro regolare.

In quanto a Micium, tornò al suo camper in riva al fiume.

Il resto è silenzio.

L'ISTANTE

Era una mattina nata col vento. Le onde alte si rompevano in fragorose scrollate, nella risacca color ghiaccio. Era un mare forte e giocoso, come un cavallo giovane. E i bambini lo affrontavano con urla e risa, si lasciavano sommergere dalle onde, le attraversavano con grida, ne uscivano trionfanti. Le schiene abbronzate apparivano e scomparivano nella spuma. Genitori, nonni, fratelli li controllavano perché non si allontanassero, nell'aria limpida risuonavano avvertimenti allegri o arrabbiati. Una bimba uscì piangendo dal mare, a un ordine più deciso e squillante della madre. Tre ragazzi eccitati presero la rincorsa per tuffarsi di colpo, e un'onda li rimandò indietro con uno schiaffone.

Un uomo, all'ombra dello spalto bianco di arenaria, osservava con stupore e allegria.

Non aveva figli. Aveva avuto una moglie, ma gli anni erano passati e, senza sapere perché, un giorno avevano cominciato a parlarne come di una cosa lasciata indietro, non più possibile.

L'uomo non aveva una particolare predilezione per i bambini: aveva dei nipoti, qualcuno simpatico qualcuno odioseetto. Ma i giovani e audaci delfini di quella mattina gli piacevano.

E strani pensieri gli nuotavano in testa, leggeri e gravi, proprio come il mare che fingeva una tregua e poi si animava in sequenze di tre, quattro onde più grandi. Una di queste arrivò ai suoi piedi, fino a bagnargli i sandali.

Era l'unico bagnante solitario, tra coppie, famigliole e tribù sotto fungaie di ombrelloni. Ma si sentiva bene, come fosse tornato giovane, e si godeva ogni immagine di quella giornata, fino al lontano orizzonte.

Improvvisamente, sul tratto di spiaggia davanti a lui, apparve una donna. Era magra e abbronzata, il vento le scompigliava i capelli e camminava con passi svelti. Guardava il mare inquieta.

L'uomo capì subito perché.

La donna non vedeva più tra le onde la figlia. Non scorgeva la cuffietta, il colore del costume, il profilo lontano, qualcosa di unico e prezioso che avrebbe potuto calmarle l'affanno del cuore.

Perciò chiamava un nome a voce alta, sempre più forte. Alcuni bagnanti si avvicinarono, e lei indicava lontano.

Il frastuono del mare copriva le sue parole. Solo quel nome, ogni tanto, risuonava chiaro e doloroso, e gli faceva eco il lamento di un gabbiano.

Finché la donna si fermò nel punto più luminoso della spiaggia, una chiazza abbagliante di granelli di quarzo, e sembrava non avesse più la forza di muoversi, né di gridare.

In quel preciso istante, l'uomo vide qualcosa di inspiegabile.

Il ghiaccio azzurro delle onde si sommò al candore della sabbia e al fuoco del sole, e ne nacque una zona di luce abbacinante, la muta esplosione di una stella. In questo bagliore la snella figura della donna sembrò torcersi e dividersi in due, due corpi gemelli che sbocciarono e si separarono.

Una donna corse subito verso levante, incontro alla figlia che usciva dall'acqua. La abbracciò e pianse, tenendola in braccio.

Nello stesso tempo, un'altra identica donna correva dalla parte opposta, verso un gruppo di persone radunate sul bagnasciuga, chine sopra qualcosa, mentre una vecchia si metteva le mani nei capelli.

Un attimo prima il mondo era uno solo. Ora niente era diverso come quei due mondi, nati in quell'istante.

L'uomo non riuscì a fare un passo, non capì se doveva andare da una parte e sorridere alla madre e alla figlia ritrovata, o correre dall'altra a guardare se era accaduto davvero qualcosa di terribile.

Un'onda luminosa, alta azzurra, sorse dal mare, si innalzò come un cielo liquido sulla sua testa, l'uomo chiuse gli occhi.

Quando si svegliò era già notte, e la spiaggia era deserta.

Non sapeva quale dei due mondi esisteva ancora. E in quale dei due viveva. Ed ebbe paura.

L'EUTANASIA DEL NONNINO

Nonno Leone, detto Leonnino, aveva vissuto sano allegro e fumatore fino a novantatré anni.

Poi la nonna era morta nel sonno, dopo che per tutto il giorno aveva preparato barattoli di marmellata di fichi.

Era morta dolce.

Leone aveva pianto, ma non tanto. Poi si era messo a mangiare pane e marmellata di fichi, mezzo barattolo a pranzo e mezzo a cena.

Quando i barattoli erano finiti, aveva smesso di nutrirsi e aveva cominciato a rimpicciolire.

Prima si era ingobbito, poi si era seccato come una pianta senz'acqua, le braccia e le gambe si erano scheletrite, e infine aveva smesso di camminare.

Il medico aveva detto che era una sindrome senile con un nome tedesco, e non c'era rimedio.

Così nonno Leone era stato messo su una sedia a rotelle. Anzi, siccome i figli erano un po' taccagni e una delle figlie aveva avuto un parto gemellare, lo sistemarono sul vecchio passeggino doppio con le tendine rosa, non tolsero neanche il carillon con il girotondo di api.

Su questa spider biposto il nipote Ottavio, l'unico che gli era affezionato, lo portava in giro, ai giardini e al supermercato.

Teneva la capotta del passeggino abbassata e si vedevano spuntare i piedini del nonno, dentro ai sandali.

Ma c'era un problema: il nonno continuava a fumare il toscano.

Perciò in parecchi, vedendo il fumo e sentendo l'odore particolare, si avvicinavano.

E se Leonnino alzava la capotta, più di una volta qualcuno faceva un salto indietro o urlava di terrore.

Un volta una signora molto miope si avvicinò perché aveva sentito il nonnino scatarrare come una motoretta. Alzò la capotta e disse:

– Ma che brutta tosse hai, bimbo.

– Vorrei vedere te a novant'anni, brutta spaccaballe – rispose il nonnino.

La signora corse via borbottando qualcosa sui bambini moderni.

Per qualche mese Leonnino andò in giro sul passeggino, poi la malattia peggiorò e dovettero portarlo in ospedale, perché era ormai grinzo e inarcocchiato, pieno di dolori e faceva la cacca solo dopo un bazooka di clistere.

E lì, nel letto di ospedale della camera 93, proprio come i suoi anni, il nonnino si annoiava.

Allora disse che voleva un telefonino.

Non aveva fatto più di dieci telefonate nella sua vita, ma adesso voleva comunicare col mondo.

E Ottavio gli portò un cellulare.

Leonnino studiò, in una settimana sapeva farlo funzionare alla perfezione e aveva una rubrica di duecento nomi.

E si mise a rompere le balle a tutti, di giorno e di notte.

Diceva che si sentiva solo, e poiché era stato silenzioso tutta la vita, adesso aveva voglia di fare conversazione.

Perciò telefonava alla bocciofila, o alla sala biliardi e si faceva raccontare le partite degli amici. Alle sei di mattina telefonava al suo amico Filetto, che era a pesca sul fiume, e ascoltava le catture di carpe in diretta. Soprattutto telefonava a Werter, un amico pensionato che andava a vedere i lavori dei cantieri. I pensionati adorano gli spettacoli edili con le ruspe, le gru e le scavatrici.

Werter gli descriveva i lavori, come procedevano, se secondo lui erano fatti bene, e ogni tanto lo faceva parlare anche col capomastro o col gruista.

Ma Leonnino non stava collegato col mondo solo di giorno, anche la notte svegliava amici che non vedeva da anni.

Cercava sull'elenco, rintracciava il numero, poi telefonava e chiedeva:

– Posso parlare con Enzo?

– Guardi che è morto da tre anni.

– Allora lo tolgo dalla rubrica.

Poi si divertiva a telefonare ai vigili, ai pompieri, e ai nomi stranieri dell'elenco.

Ai vigili chiedeva come andava il traffico, ai pompieri se c'era qualche bell'incendio in giro. Parlava coi senegalesi e coi filippini facendo finta di essere del Comune, si informava su come stavano in Italia, se gli piaceva il cibo, cosa mangiavano al loro paese, come si diceva "buonasera "o "cantiere" nella loro lingua. A volte si scambiavano barzellette.

Era gentile con tutti, ce l'aveva solo con gli albanesi e faceva delle gran tirate razziste.

Si scoprì il motivo della misteriosa avversione. Settant'anni prima un suo amico che si chiamava Albanesi Angelo gli aveva rubato una fidanzata. Nel suo senile encefalo questo aveva generato un po' di confusione.

Poi Leonnino iniziò a telefonare alle linee erotiche.

Trovò sui giornali il nome di battaglia. Conte Leonpoldo Toscani della Mezzaruspa, Leon per gli amici.

E come conte Leon cominciò a telefonare ogni notte a una certa Carolina. Ma non era abbastanza romantica. Poi scelse Clara. Ma non era abbastanza porca. Poi trovò Chantal. Aveva la erre francese anche se era di Foggia e scoppiò un'attrazione cellulare.

Avevano inventato il gioco "cosa ti farei cosa mi faresti".

Lei diceva: cosa mi faresti col vibratore?, e lui, che pensava all'operaio del martello pneumatico, rispondeva: ah no, in tre non mi piace.

Allora Chantal, per eccitarlo, gli leggeva i risultati delle partite del campionato di calcio 1963-64. Erano gli anni in cui la squadra del nonnino andava forte e vinceva lo scudetto.

Quando lei diceva col suo succedaneo di accento francese:

– Batutà la Juventùs per troi a zerò,

il nonnino aveva un orgasmo, che non era proprio un orgasmo, ma una specie di brividino che portava il pistolino da tre a cinque centimetri di lunghezza.

I figli erano disperati per il costo di tutte quelle telefonate, ma il nonnino aveva la sua pensione e non accettava consigli, voleva spenderla tutta lì.

Non voglio morire da solo, diceva, ho bisogno di compagnia.

Vennero a trovarlo un po' di più, ma restavano mezz'ora e poi svanivano.

Dopo un po' il nonnino si stancò di Chantal, e della pesca alla carpa in diretta, aveva capito che gli amici ormai gli parlavano dal bar, invece che dal fiume, e le carpe erano tutte oltre i venti chili, cioè fuori dal Ctdbi (Coefficiente tollerato di dilatazione della bugia ittica).

Inoltre il povero Werter, a forza di andare in cantiere, si beccò una polmonite da polveri cementizie e il dottore gli proibì di uscire.

Il nonnino diventò ancora più annoiato e apatico. Smise anche di rompere i marroni di notte, soltanto talvolta telefonava a quelli col cognome Albanesi e sparava pernacchie da motosilurante.

I parenti diradarono ancor più le visite, anzi non ne veniva più nessuno.

Leonnino mise un cartello:

SI ACCETTANO VISITE ANCHE DA PARENTI DI ALTRI.

Ma le ore non passavano mai. Una mattina che Leonnino era particolarmente depresso e l'unico suo divertimento era sputare lontano la dentiera, vide che, nella camera davanti alla sua, avevano ricoverato un vecchietto lamentoso e antipatico, tale Pavarini Ermete, quasi cieco per il diabete. Ma Pavarini era un ex negoziante e aveva i soldini, perciò era assistito da una badante bella, bionda e lituana. Si chiamava Tatiana.

Ermete Diabete era odioso, scoreggiava in continuazione, trattava male e insultava la bella Tatiana. Il nonnino non lo poteva sopportare. Si era subito innamorato della bella badante, che gli sorrideva sempre e si aggiustava le calze bianche davanti a lui, facendolo salivare come un neonato.

E siccome la vedeva triste e infelice col bieco, puzzolente Ermete Diabete, concepì un piano diabolico.

Aspettò che lei prendesse un giorno di permesso e che Pavarini rimanesse solo.

Quindi la sera, spingendosi sulla sedia a rotelle e indossando una vestaglia bianca tipo camice, entrò nella stanza di Pavarini e dichiarò:

– Sono Albanesi, il medico di guardia.

E l'altro, che era quasi cieco, disse:

– Un dottore nuovo? E cosa vuole da me?

– Le porto una nuova cura omeopatica per il diabete. Sono compresse, ne deve prendere dieci ogni mattina, e dieci alla sera. Sono anche buone di sapore. Ma non lo dica a nessuno, è una cura sperimentale americana, la diamo solo a lei perché è un paziente di riguardo.

Pavarini, lusingato, ne mangiò una e disse:

– Ma sembra proprio un gianduiotto, ha lo stesso sapore. E ha anche la carta stagnola!

– È una medicina nuova, si chiama Glicotamazol. Mi raccomando, dieci alla mattina e dieci alla sera.

La mattina dopo trovarono Pavarini secco nel letto con la glicemia a seicento.

Dopo breve indagine il caso dei misteriosi gianduiotti fu chiuso, per evitare scandali. Quando Tatiana tornò, trovò davanti alla porta della stanza del defunto Pavarini il nonnino che le dichiarò:

– Ora sono io il tuo uomo, biondona.

Così iniziò il loro amore.

Lei lo lavava, lo coccolava, lo portava su e giù per i corridoi in carrozzina, gli cantava canzoni nella sua lingua, lo sgridava perché non prendeva le medicine.

Lui le toccava il culo con discrezione e la guardava per ore, con aria amorosa. Le insegnò a fumare il toscano e a fare i cruciverba in italiano, e le raccontò tutta la sua vita.

Ma un giorno Tatiana non venne più.

Si venne a sapere che era sposata, e che il marito uscito di prigione l'aveva riempita di botte e portata via.

Chissà dov'era. Al telefonino non rispondeva. Tatiana perduta, Tatiana lontana!

Allora Leonnino decise di uccidersi.

Come primo tentativo si buttò giù dal letto, ma si slogò solo un gomito.

Poi con la sedia a rotelle investì il carrello dei pasti, ma riportò solo una lieve ustione da purè.

Una notte cercò di soffocarsi col cuscino, lo trovarono al mattino livido e ansante, ma vivo. Infine si mise sotto le coperte e scoreggiò trecentottantasei volte. Quando l'infermiere sollevò le lenzuola svenne, e con lui il trenta per cento del personale paramedico e gran parte dei topi nei sotterranei dell'ospedale. Ma il nonno riportò solo una lieve intossicazione da gas scatolico e si riprese in fretta.

Per sicurezza gli tolsero anche i fiammiferi e i lacci delle scarpe.

Allora chiese al nipote Ottavio di fargli l'eutanasia. Ottavio disse che era matto.

Implorò per telefono gli amici. Metà non se la sentiva, metà non sapeva cosa voleva dire "eutanasia".

Fece lo sciopero della fame, ma lo alimentarono con la flebo.

Il prete venne per convincerlo che la vita era sacra e lui cercò di rubargli il cordone del saio per strangolarsi.

Voglio andarmene quando pare a me, diceva Leonnino, cosa vi interessa a voi?

Una notte ci andò vicino: riuscì a fregare dall'infermeria un tubetto di sonnifero. Ingoiò quaranta pastiglie verdoline, sembrava che mandasse giù delle Valda.

Restò in coma sei giorni in cui sognò di tutto: dai diavoli dell'Inferno che fumavano toscani insieme a lui alla Juventus che veniva retrocessa in serie C, ma quella del Lussemburgo, sognò che trombava Tatiana su una slitta nei boschi lituani, e sognò che pescava sul fiume e tirava su una carpa di cento chili con dentro il cadavere di Albanesi Angelo.

Ma si svegliò ancora vivo, se vita si poteva chiamare.

Pesava ormai trenta chili ed era solo occhi e becco, come un gufetto.

Una mattina venne in visita il primario Frammassoni. Era elegante, brizzolato, cinico e anamnestico. Medici e pazienti ne avevano paura. Il primario consultò le cartelle cliniche, fece una smorfia schifata per l'odore della stanza e parlò a bassa voce con l'infermiera.

Non si avvicinò neanche. Disse al nonnino:

– La smetta coi suoi patetici tentativi di morire, causando problemi a tutti. Ringrazi di essere curato e di occupare quel letto, con tanti più giovani di lei in lista di attesa per un ricovero.

– Allora, se è così, liberi un posto e mi ammazzi, il mio bel fighetto – disse il nonnino.

Il dottore, adirato, pensò per un attimo di preparare una flebo da schiantarlo. Ma ci teneva troppo alla carriera, e non voleva mai perdere i pazienti, potevano nascere delle grane.

Il nonnino restò sveglio tutta notte, con un gran magone.

Pregò anche Sghetto, dio del biliardo e dei pescatori, di prenderlo alla lenza e portarlo via dal gioco del mondo. Ma invano. E la notte fu piena di dolori e incubi.

Così la mattina Leonnino si fece avvicinare con la sedia alla finestra, e appena l'infermiere uscì iniziò a gridare:

– Aiuto, qua dentro *non* mi vogliono uccidere!

Era tutto ossa, ma aveva una voce come una sega elettrica.

Tutti, nel cortile, lo sentirono e lo videro.

Il primario Frammassoni piombò adirato.

Il nonnino con le lacrime agli occhi gli disse:

– La prego, mi faccia una puntura. Non è niente per lei... non vede come sono ridotto?

– Glielo dirò una volta per tutte – sibilò Frammassoni. – Se lei avesse dei soldi, troverebbe forse qualcuno che la farebbe morire. Ma lei è un poveraccio. Una di quelle migliaia di inutili carcasse che noi dobbiamo mantenere e curare. E sa perché? Perché se uno di voi muore in circostanze poco chiare, ci saltano addosso tutti, parenti, avvocati, giornalisti. Io la eliminerei molto volentieri. Ma per dirla francamente, mi disgusta la sola idea di toccarla. Domani verrà in visita il ministro della Sanità, per inaugurare il nuovo reparto rianimazione. Lei non ci darà problemi. Le darò tanti sedativi che non riuscirà neanche ad alzarsi dal letto. Domattina però si sveglierà vivo, inutile ma vivo.

Leonnino lo guardò fisso.

Poi tirò fuori da sotto un cuscino un toscano e chiese:

– Mi fa accendere?

– Portategli via anche i toscani – disse il dottore, con un ghigno.

La notte passò, tra lamenti, cigolar di carrelli e vapori di alcol.

Ma verso l'alba, un odore acre invase i corridoi. Veniva dalla camera 93.

L'infermiere entrò. La stanza era impregnata di fumo. Ovunque, mozziconi di sigaro. Il nonnino aveva una scorta segreta e si era fumato trenta toscani di fila. Rantolava senza fiato.

Il primario Frammassoni schiumò di rabbia. Non poteva far morire un paziente proprio il giorno della visita del ministro. Perciò ricoverò il nonnino in rianimazione, pieno di tubi e flebo e circondato da monitor.

Mancava mezz'ora alla cerimonia, quando il nonnino aprì gli occhi. Si era già ripreso, trenta toscani erano roba da ridere per lui.

Si tolse dal naso il tubo dell'ossigeno, e lasciò che il gas riempisse bene la stanza.

Aprì il pugno destro, e dentro c'era un toscano.

Se lo mise in bocca.

Aprì il pugno sinistro, e dentro c'era un accendino fregato all'infermiere.

Accese il toscano.

Ci fu una bella e spettacolare esplosione. Il reparto bruciò per tre giorni. Bruciò anche una fetta di ospedale. Per fortuna nessuna vittima, a eccezione di Leonnino, di sessanta topi e dell'equilibrio mentale di Frammassoni.

Il primario infatti, con l'inchiesta ancora in corso, ebbe un tremendo esaurimento nervoso e fu ricoverato in clinica psichiatrica. Non dormiva più, aveva il terrore di chiudere gli occhi. Perché, se si addormentava, faceva sempre lo stesso orribile sogno.

Un cantiere disastrato, con tracce di un recente incendio. E tra il fumo e la polvere, appariva il fantasma del diabolico nonnino.

Lo guardava con gli occhi da gufo e diceva:

– Dottore, mi fa accendere?

E rideva.

UN VOLO TRANQUILLO

Aline ballava per la millesima volta la danza della salvezza e della perdizione, le mani sinuose disegnavano nell'aria gesti rituali mille volte ripetuti, e la gente distratta non capiva quanto destino e futuro contenevano.

Preferiva ignorarli, distogliere lo sguardo per paura o indifferenza. Ma ben presto quella danza li avrebbe portati in alto, tra le nuvole, lontano da ogni certezza terrena.

Aline danzava e si toglieva il corpetto giallo, poi indossava una misteriosa maschera ripetendo l'antica formula.

– In caso di bisogno, la maschera a ossigeno uscirà dall'apposito alloggiamento. Indossatela in questo modo e respirate normalmente...

Infine Aline spalancò le braccia, poi le riunì indicando lontano, e il suo sguardo scrutò i presenti in un'ultima invocazione oracolare.

– Questo aereo ha tre uscite di sicurezza... individuate quella più vicina a voi...

E Aline effettuò un triplo gesto scaramantico.

– Alispring è lieta di ospitarvi sul suo volo per Londra e vi augura buon viaggio. Vi preghiamo di controllare che le vostre cinture siano allacciate e che i telefoni cellulari siano spenti.

Con una flessuosa giravolta Aline scomparve. Raggiunse il suo sedile, e si legò la cintura per il decollo. La danza le aveva già rivelato chi sarebbe stato l'uomo per lei, in quel viaggio. Ormai aveva venticinque anni di esperienza e ventimila ore di volo. Forse era un po' stanca e segnata in volto, ma era ancora una bella signora dalle lunghe gambe e dai capelli ramati, e il suo sorriso rassicurava bambini e adulti.

Ogni volta, durante la danza di benvenuto, aveva l'abitudine di scrutare i passeggeri, perché il suo collaudato intuito le mostrava in anticipo chi sarebbe stato il Problema. Il rompiballe, l'ansioso, l'impaurito, l'isterico, quello che per tutto il viaggio avrebbe richiesto le sue attenzioni e le sue pazienti cure. E lei lo avrebbe affrontato, sedotto e domato, perché questo era il suo lavoro, e anche se quello era uno dei suoi ultimi voli, ci teneva ancora a farlo bene.

Il Problema era seduto alla poltrona 14K. Tra un annoiato manager che leggeva il giornale e una ragazzina già anestetizzata dal suo I-pod.

Era un uomo grasso, sudato, con occhi sporgenti da batrace e una giacca giallastra, color vomito. Giallo anche il colorito del volto. Era, evidentemente, un passeggero già colmo di preventiva e logorante paura.

Bene, d'ora in avanti il tuo nome è mister Fifoni, pensò Aline, io sarò tua e tu sarai mio.

Fifoni aveva una gabbietta con un gatto, e fin dall'inizio l'aveva sbattuta qua e là, borbottando scontento di tutto, della gente che non prendeva posto, della scomodità dell'aereo e del poco spazio a disposizione.

Non era stato difficile individuare il suo corredo di nevrosi.

Era l'unico che aveva osservato con attenzione spasmodica le istruzioni su come gonfiare il salvagente.

Alla parola "maschera a ossigeno" aveva inspirato rumorosamente.

Tormentava in continuazione il bocchettone dell'aria condizionata.

Puntava le ginocchia contro il sedile davanti, pronto a reagire ferocemente se qualcuno avesse cercato di inclinarlo rubandogli spazio.

Sudava come un formaggio al sole.

E intanto il gatto aveva iniziato a gnaulare, in un lamento solidale.

Al momento Fifoni era preoccupato dal decollo, ma appena in quota, Aline lo sapeva bene, avrebbe cominciato ad agitarsi. Il che avvenne.

Esattamente un minuto dopo la partenza, a mille metri di altezza, Fifoni alzò un dito chiedendo il suo intervento.

– Scusi, signorina, – disse – non potrei spostarmi nei posti là davanti? Qui sto strettissimo e non so dove mettere il gatto.

Aline sorrise.

– Certo, signore. Va bene la seconda fila? I sedili sono leggermente più larghi, c'è più spazio per la gabbietta.

Fifoni spalancò gli occhi, con l'incredulità del rompiballe esaudito. Borbottò, si alzò, sbatté la gabbia in testa alla ragazzina, diede una culata a destra e una a sinistra e occupò il nuovo posto.

– Tutto bene? – disse Aline.

– La cintura non si chiude – disse Fifoni.

– La aiuto io, signore – disse Aline, e con abili e affusolate mani cinse della salvifica fascia le trippe del passeggero. Poi con un nuovo sorriso e una girata di tacchi disparve.

Fifoni resistette altri otto minuti. Poi di nuovo la convocò, col ditino alzato.

– Scusi, signorina, – disse – ma l'aria condizionata funziona? Mi sembra che faccia un gran caldo qua dentro, non si respira.

– La temperatura interna è di ventidue gradi, signore, – disse Aline – ma l'aria condizionata sta agendo e tra poco lei sentirà più fresco.

– Speriamo – disse Fifoni.

– Meaaow – disse il gatto.

E dalla gabbietta fissò Aline. Era grasso e color vomito anche lui. Un Fifoni quadrupede.

– Ha già viaggiato il suo micione? – disse Aline.

– Poche volte, – rispose Fifoni – gli aerei non sono fatti per i gatti... neanche per gli umani, direi... Ma come fa lei a lavorare in un corridoio così stretto?

– Ci si fa l'abitudine, signore – rispose Aline. Consolò un bambino piangente, controllò una cintura e andò a prendere il carrello delle bibite. Quando passò davanti a Fifoni, lo vide che guardava all'indietro torcendo il collo. Sembrava molto agitato.

– Qualcosa da bere, signore?

– No, – disse Fifoni – ma si avvicini un momento, dovrei dirle qualcosa...

– Finisco il giro e torno da lei.

– Mi raccomando – disse Fifoni, e nella sua voce c'era un'incrinatura di terrore. Decisamente un passeggero assai difficile...

Aline, come una buona mamma, nutrì di succhi tiepidi, biscottini umidi e cracker pietrificati metà dei passeggeri. Poi ripose il carrello. Sentì lo sguardo di Fifoni che seguiva ogni suo movimento. Lo riavvicinò, stavolta senza sorriso. Mai incoraggiare troppo.

– Mi dica, signore.

– Ecco... non vorrei sembrarle allarmista, ma... lo vede quell'uomo seduto in quinta fila?

– Lo vedo.

– Ecco, non mi prenda per razzista... credo sia arabo...

– E allora?

– Come "allora"? Non ha visto? Ha tirato qualcosa fuori dalla tasca... qualcosa che sembra un timer...

Aline sospirò. Era comunque suo dovere controllare. Lo fece con discrezione e tornò.

– Il signore ha in mano una calcolatrice tascabile. Sono ammesse durante il volo. E l'ho sentito parlare durante l'imbarco, non è arabo, è siciliano.

– Ah, – disse Fifoni – mi scusi, ma sa, se ne sentono tante... la televisione, i giornali... volare non è più sicuro.

– La nostra compagnia ha dei sistemi di controllo invidiati da tutti – sorrise Aline. – Non abbiamo mai avuto incidenti in quarant'anni.

– C'è sempre una prima volta – borbottò Fifoni, cupo.

Rompiballe, impaurito e menagramo. Peggio di così ci sono solo certi ubriachi. Ma pazienza, pensò, ancora pochi voli e poi è finita. Si sistemò i capelli e andò in cabina a chiacchierare con l'altra hostess, la giovane e bionda Barbara, mille ore di volo.

– Hai qualche problema? – le chiese maternamente.

– Oh, niente – disse Barbara. – Una bimba che secondo me tra un po' vomita l'anima. E un vecchiaccio che fa il galante.

– Beata te – rise Aline. – Io invece ho un ciccione ansioso terrorizzato dagli attentati.

– L'ho visto – rise Barbara. – Meno male che è nella tua zona. Senti, non è male il biondino della fila quindici.

– Quello vicino al ragazzo coi baffi?

– Sì, ti piace?

– Toglitelo dalla testa. Mano nella mano dalla partenza, lui e lui.

– Ma dai – disse Barbara.

– Ventimila ore di volo ti insegnano molte cose, – rise Aline – ma forse mi sbaglio. Invece non mi sbaglio se ti dico che Fifoni si sta agitando e tra poco chiamerà.

Manco a dirlo, la luce che richiedeva l'intervento dell'hostess si accese. Era naturalmente il sedile 2C.

– Qualche problema, signore? – disse Aline. Lo vide sempre più in crisi, con la camicia slacciata e un rivolo di sudore che scendeva lungo la nuca.

– Signorina, forse le sembrerò esagerato, ma stavolta ho visto bene. Non si possono portare liquidi in volo, vero?

– Di regola no, ma dipende dagli addetti ai controlli...

– Bene, vede quella ragazza? Quella dai lineamenti orientali?... Ha appena preso in mano una boccetta e sta sfregando... Forse sta creando un esplosivo...

– Non credo proprio, signore. Comunque vado a controllare – sospirò Aline.

Un fuoriclasse, pensò la hostess. Rompiballe e maniaco al di sopra di ogni previsione.

Andò e controllò. La ragazza stava cercando di pulirsi, con un po' di acqua minerale, una macchia sui pantaloni. Alla faccia della dinamitarda.

– Stia tranquillo, signore – disse Aline, tornando con un sorriso un po' forzato. – È acqua che le abbiamo dato a bordo.

– Sarà – disse Fifoni. E si ingrugnì guardando fuori dal finestrino. La hostess, per un attimo, provò pena.

– Manca mezz'ora all'atterraggio – disse Aline. – Vuole mangiare qualcosa?

– No, – disse sgarbato Fifoni – non mi piace quella roba precotta. E poi devo stare attento.

– Attento a cosa?

– Il cibo potrebbe essere avvelenato, è accaduto recentemente su un volo per Singapore. Non legge i giornali? E poi devo controllare tutto quello che succede in questo aereo – disse Fifoni, con un'occhiata folle. – Ma non capisce? Tutti dobbiamo vigilare, ognuna di queste persone potrebbe essere un potenziale attentatore, e invece di rimpinzarli di bibite dovreste sorvegliarli. Come può essere così tranquilla?

– Ma è un volo tranquillo. E lei vede tipi sospetti ovunque – disse Aline.

– Certo che li vedo – disse Fifoni. – Guardi quell'uomo con la barba. Non è italiano. Sta leggendo un giornale arabo...

– Non è arabo, è greco – sospirò Aline.

– E la sua vicina, quella con la faccia scura, vede?, sta tirando giù il suo bagaglio a mano... cosa sta cercando? Non è una pallottola, quella?

– Signore, quello è un rossetto.

– Rida pure di me, mi prenda per matto, ma lei è troppo sicura – disse Fifoni con voce rabbiosa. – Le dico che si deve sospettare di tutti.

– Volo da venticinque anni. Credo di avere una certa esperienza, noterei subito qualcosa di anormale.

– Le dimostrerò che si sbaglia – disse Fifoni. – C'è qualcuno che lei non ha notato bene, su questo aereo.

– Mi dica, chi è?

– È un signore grasso e fastidioso con un gatto – sussurrò Fifoni.

– Vedo che sta meglio e ha voglia di scherzare – disse Aline, sollevata.

Il volto di Fifoni divenne rosso e si ingigantì. La voce gli si fece chioccia, come quella di un bambino arrabbiato.

– Vede, signorina hostess con venticinque anni di volo, forse lei si è abituata alla paura. Io no. Per anni l'ho ingoiata, giorno per giorno. Ho visto immagini alla tivù, letto giornali, ascoltato discorsi e ognuno mi infilava nella carne il coltello di una nuova angoscia. E io non potevo reagire, solo gli esperti comprendono, solo i potenti conoscono i particolari, tutto è segreto, nella scatola nera o in qualche stanza dove si trama, e per noi c'è solo la paura. La paura di quelli che ci indicate voi: ogni giorno ce ne indicate di nuovi, in paesi lontani, tutti contro di noi, tutti contro di me, ogni giorno un nemico in più. E la mia vita si è riempita di paura, trabocca, e io non ho più voglia di godermela... Ecco la verità, signorina...

– Suvvia, signore...

– Mi lasci finire. Mi avete avvelenato la vita con la paura, e io mi vendicherò. Per una volta, signorina, sarò io a spaventare voi. Non mi chiede come?

Meglio che lo assecondi, questo è matto, si disse Aline.

– Certo, mi racconti pure. Ma non si agiti, siamo quasi arrivati.

Il volto dell'uomo si contorse in una smorfia.

– Voi ci avete elencato con precisione e sadismo i nemici di cui aver paura: gli arabi, i talebani, i ceceni, i no global, i terroristi con barba e baffi. Tutto secondo le vostre direttive. Ma pensi se improvvisamente una persona che non è nella vostra lista nera, una persona normale, la più normale del mondo, diventasse un nemico da temere.

– Una persona come?

– Una persona come me. Allora tutto salterebbe in aria, pregiudizi e metal detector e bombardamenti preventivi e controlli. Pensi, signorina: un signore grasso e insignificante con un rassicurante gattone al seguito sale su un aereo. Prima di partire invia ai giornali una lettera in cui spiega che farà esplodere questo aereo. Ma in questa lettera, che arriverà domani, il signore grasso non dice perché, né come, non spiega nulla, nulla di quello che racconto a lei, signorina. A lei ho detto il motivo, ma non le dirò il modo, le dirò solo che sono cuoco, che ho studiato chimica, che la mia bomba è il mio gatto, e c'entra l'acido citrico...

– Adesso basta signore, lei sta esagerando, devo prepararmi all'atterraggio – disse Aline, con fastidio.

Ma l'uomo la trattenne per un braccio.

– No, signorina, non ci sarà atterraggio. Mi dispiace per lei, lei paga per colpe non sue. Ma tra poco io non avrò più paura, l'avranno gli altri. D'ora in avanti tutti dovranno avere paura degli uomini grassi coi gatti, insieme o separatamente. Gli psicologi, i sociologi, i criminologi saranno tutti mobilitati sui rischi dell'obesità, dell'amore per gli animali e della buona cucina. E gli investigatori cercheranno sette segrete, eventi passati, ideologie, fanatismi, e troveranno soltanto i miei quaranta insignificanti anni tra i fornelli. Ogni normalità sarà sabotata. Cosa farete allora? Invaderete il paese dei cuochi? Metterete sbarramenti negli aeroporti per chi è troppo grasso? Farete carceri speciali per i gatti?

– Adesso basta, signore – disse Aline svincolandosi. – Lei è pazzo e sta disturbando.

Andò di buon passo dallo steward, un po' agitata.

– C'è un mitomane in seconda fila, un signore grasso. Non credo che possa diventare pericoloso, ma bisogna che tu gli dia una calmata.

– Va bene. Quello con quella giacca orribile? Quello che sta sghignazzando?

– Quello. E ride pure, l'idiota...

– Ci mancherebbe altro che dovessimo aver paura anche di uno come lui – disse lo steward.

– Certo – disse Aline.

Il gatto lanciò un miagolio straziante e acutissimo. Poi l'esplosione.

SOSPIRO

Dureranno più del nostro oblio
Non sapranno mai che ce ne siamo andati

JORGE LUIS BORGES, *Le cose*

Potete chiamarmi ladro, ci sono abituato.

Ma se avrete la pazienza di udire la mia storia, forse non use-rete questo termine così sprezzante.

La mia storia comincia come tutte le storie che cominciano male.

Padre carcerato, madre pazza e disperata che sparisce.

A quindici anni ero un ragazzo solo, perduto in una città dal cuore di nebbia.

Avevo uno zio, l'unico che si curò di me. Non essendo uno zio onesto, mi aiutò a trovare un'onesta strada disonesta.

Mi insegnò a rubare in ogni modo e stile. Per strada, nei nego-zi, sui treni, dalle auto parcheggiate. Avevo talento. Ero così silen-zioso che mio zio mi diede come soprannome Sospiro. Non face-vo più rumore di un alito di vento, sembrava che le mie ossa, le mie braccia, i miei piedi, fossero fatti d'aria, o invisibili.

Potevo seguire una persona per un'ora e quella non se ne ac-corgeva. Ero la sua seconda ombra. Un'ombra affamata.

Crescevo, lavoravo, e diventavo sempre più bravo. A diciassette anni rubavo i portafogli alle mie vittime e parlavo con loro, guar-dandole tranquillamente negli occhi.

Avevo proprio l'aria di un bravo ragazzo.

Intanto frequentavo l'Università del Furto, corso di studi non riconosciuto dallo stato ma serio e formativo. Da Crispino, detto Cric, imparai ad aprire le auto. Da Leopoldo, detto l'Antiquario, imparai a distinguere gli orologi e i preziosi di valore. Da Slim la Donnola appresi a pedinare, studiare e preparare i colpi. Da Rudy detto il Ramarro imparai a scalare, arrampicarmi, saltare. E soprattutto, da Sesamo il Grande imparai ad aprire qualsiasi serratura, meno quelle di certe porte blindate perché, diceva Sesamo:

– Come insegnamento io mi fermo agli anni sessanta. Dopo non è più arte.

Studiavo e imparavo. A vent'anni ero già una promessa nel settore. Guadagnavo abbastanza da passare qualche serata al night.

Ma volevo di più. Desideravo entrare nelle case ricche, nelle ville in collina. Mio zio mi dissuase subito: – Quello è un affare pericoloso, per professionisti armati e organizzati in banda. Accontentati di avere la mano lesta, in strada non c'è pericolo.

Due giorni dopo rubò un portafogli a un mafioso e la notte lo trovarono morto sparato, in un vicolo.

Per molti giorni vagai per la città, piangendo e sbronzandomi. Non sapevo cosa fare, dove andare. Dormivo in un vecchio sottoscala. La casa dello zio era stata perquisita e l'avevano trovata piena delle nostre refurtive, non potevo tornarci.

Così vagando arrivai in periferia, in un quartiere in costruzione, cemento e ghiaia dappertutto, e i totem delle gru. Per fare posto a un nuovo condominio avevano abbattuto tutti gli alberi e le vecchie case. Ne era rimasta una sola, un'abitazione grigia, modesta, con un piccolo giardino.

Il cancello del giardino era aperto.

Era mezzanotte, tirava un vento freddo e si sentivano in lontananza le sirene della polizia.

Avevo con me un mazzo di chiavi passepartout, ereditate dallo zio.

Fu tutto come in un sogno. Provai con la prima, la seconda, la terza e finalmente la porta si aprì.

Era stato facile e naturale, come rientrare a casa mia.

C'era odore di minestra, e di acquaio. Era una casa vecchia, con grandi macchie di umidità sui muri.

Leggero come un sospiro, percorsi il corridoio. Dietro una porta socchiusa, sentii qualcuno russare. Guardai dentro. Un uomo grasso, con un pigiama a righe, dormiva vicino a una donna coi capelli bianchi. Per proteggersi dal freddo, avevano sciarpa e guanti. Sul comodino, una folla di ritratti in cornici ovali. Avi, bisavoli, nipoti, nipotini, l'archivio di vivi e morti del loro cuore.

A passi lenti, mi avvicinai a un'altra camera, da cui veniva un ronzio sommesso. Su un letto ormai corto per la sua altezza, dormiva una ragazza coi capelli tinti di viola. Aveva il volto imbronciato, era paffuta e graziosa, e stava raggomitolata tra vestiti sgualciti, quaderni e libri di scuola. In tutta la camera c'era un sano, giovanile disordine. Il poster di un cantante borchiato e minaccioso sovrastava un orso di peluche. La ragazza aveva ancora nelle orecchie le cuffie della musica con cui si era addormentata.

Un piccolo acquario, con due pesci gialli e un galeone sommerso, ronzava nel buio.

Pensai che quello era il sogno della ragazza.

Poi entrai in una camera vuota. C'era la foto di un ragazzo, maglie da calcio, un vecchio computer. Il ragazzo non c'era. Poteva tornare da un momento all'altro? Il mio istinto ladresco mi diceva di no. Forse era lontano. O morto.

Quella casa mi riempiva la testa di pensieri.

Andai nel salotto. Era pieno di cavallini di vetro, e brutti quadri con insalate di fiori. Un grande televisore piatto era l'unico segno di modernità, un tecnologico alieno.

Su un tavolino di vetro c'era un'agenda con i conti della spesa, in calligrafia sghemba.

Una famiglia normale, forse un po' noiosa o litigiosa. Che odiava i ladri e quelli come me. Ma così addormentati, mi sembravano buoni. Pensavo che non avrebbero potuto fare del male a nessuno, chiusi nel rifugio dei loro sogni, nel calore delle loro coperte.

Andai in cucina. Aprii il frigorifero.

Avevo fame, mangiai della pasta fredda e una mela. Silenzioso, come sempre. Non avevo paura.

Con calma esaminai le pentole, i piatti e le posate. I tegami erano consumati dal fuoco. I bicchieri, uno diverso dall'altro. Tra le vecchie forchette coi rebbi storti c'era un coltello tedesco di gran marca: un conte decaduto tra la plebaglia.

Rubai un mestolo di legno e una grattugia.

Poi presi un cavallino di vetro, pochi spiccioli che stavano in un cassetto, e un orologio.

Ma non mi bastava.

Entrai nella stanza della ragazza. La guardai a lungo, mentre respirava.

Presi una foto che la ritraeva al mare, tra due amiche.

Poi chiusi gli occhi e ascoltai. Quella casa aveva una musica. Io capii che era diversa da tutte, e che l'avrei riconosciuta ogni volta.

E uscii.

Vivevo, come ho detto, in un sottoscala, per meglio dire un garage, con una brandina e mobili provenienti da vecchi furti dello zio. Al centro c'era un tavolo, su cui esponevo il mio bottino quando veniva il ricettatore. E avevo anche una vecchia scansia da ufficio. Ci sistemai la foto della ragazza, il cavallino di vetro, le posate.

Misi sul tavolo solo l'orologio.

Da allora fu sempre così: alcune cose le mettevo in vendita, altre le tenevo per me.

Cominciò la mia carriera di ladro fantasma.

Sceglievo una casa con cura. Osservavo gli orari, le abitudini, chi ci abitava e chi la frequentava. Mi accertavo che non avessero animali in casa. Sapevo quando uscivano, quando rientravano, quando andavano a letto.

E quando dormivano.

Allora entravo.

Dovevano essere in casa, o sarebbe stato troppo facile. Questa era la sfida.

Non usavo gas anestetici per stordirli, né trucchi di questo tipo.

Ero, lo ripeto, silenzioso come un sospiro. O forse c'era nel mio corpo una strana onda magnetica che faceva sì che nessuno si svegliasse, mentre giravo al buio per la casa. Ero un sonnifero vivente.

Solo due o tre volte, nei miei primi tentativi, qualcuno si alzò. Ma non perché si fosse accorto di me. Per bere, o per aprire una finestra, o perché risvegliato da un brutto sogno. E io restavo immobile, nascosto.

Mi piaceva.

Anche voi, pensateci bene, avrete almeno una volta sognato di entrare non visti in una casa per spiare, per guardare, per ascoltare. Per avere una vita in più della vostra.

Ero felice di questo mio lavoro notturno. Ma Cesare, il ricettatore, non capiva e non approvava. Uno col tuo talento, diceva, entra nelle case abitate rischiando tanto, e poi ruba qualche orologio, le statuine e le posate. Sei davvero matto! Ma i gioielli non ti interessano? E le casseforti?

Aprire le casseforti fa rumore, rispondevo.

Ma non potevo spiegare.

Era questione di musica.

Immaginavo talvolta l'effetto che le mie incursioni provocavano nelle famiglie. La mattina si svegliavano ed era scomparsa una posata, una tazza, un ritratto. Molti di loro, credo, non pensavano a un furto, ma a uno smarrimento, a una disattenzione.

Magari litigavano. Dove è finito? Chi di voi lo ha spostato? In questa casa sparisce tutto! C'è un fantasma in questa casa, che fa scomparire la roba!

Non so quanti fossero certi di un furto, e lo denunciassero. Non molti, credo. Solo una volta, su un giornale lessi un articolo che parlava di me, di un "misterioso e bizzarro ladro" che sembrava rubare solo forchette e foto di famiglia. Ma il cronista dimenticò subito quella pista.

Il fatto che non rubassi niente di valore mi proteggeva.

Anche se continuavo a vivere nel mio garage, tra mille oggetti strani, e con un materasso come letto, non avevo solo una casa, ma mille case.

Mi piaceva pensare che non ero un ladro, ma un abitante nottambulo che non voleva svegliare i genitori, la moglie, i fratelli. E tutto ciò che vedevo nella penombra notturna mi faceva pensare alla loro vita di giorno. La ricostruivo. La immaginavo. E ogni volta mi stupivo.

Il gregge dei supermercati, degli ingorghi, delle statistiche, la gente senza nome, non era poi così amorfa e uguale come sembrava. Le case erano tutte diverse tra loro: ordinate o disordinate, semplici o pacchiane, vissute o trascurate. Ma ognuna con le sue rughe e i suoi segni, come nella fisionomia di un volto. Spesso, da alcuni di questi segni intuivo storie dolorose. Scatole di medicine, polvere, foto di persone scomparse, puzzo di alcol, tracce di miseria e abbandono.

Ma la notte avvolgeva tutto in un abbraccio di compassione.

Come la prima volta, nella casa dei cavallini di vetro, mi sembrava che così, addormentati, tutti si assomigliassero, fossero parte di una grande famiglia, di un popolo in estinzione. I Buoni Dormienti. Incapaci di fare del male. Solo un lieve respiro, un movimento impercettibile sotto le lenzuola, separavano quei corpi dai corpi dei morti. Forse qualcuno non si sarebbe svegliato.

Come vi ho già detto, quello che imparai ad amare, in ogni casa, era la sua musica. Ognuna aveva il suo concerto particolare. Fatto di scorrere d'acqua nelle tubature, di scricchiolii misteriosi, di ronzii di elettrodomestici, dei respiri degli abitanti, del tremare dei vetri al vento.

Conoscevo questa musica meglio degli abitanti, che forse non la ascoltavano più.

E gli oggetti che li circondavano, per loro abituali, diventavano per me preziosi e sorprendenti. Erano il loro tesoro trascurato, che io sapevo apprezzare. Davo l'acqua ai fiori spenti. Pulivo i ninnoli impolverati. Giunsi persino ad aggiustare i giocattoli dei bambini. Una foto che forse nessuno guardava più era per me motivo di stupore. Quella bella donna coi capelli al vento era la vecchia rugosa nel letto? E dov'era finito il ragazzo allegro con la bicicletta? E chi era quel volto serio di soldato? Un padre, uno zio? Li aveva amati, li aveva odiati, protetti? Dove dormiva ora?

Leggevo i loro biglietti d'amore, i loro libri, le loro bollette. Mangiavo i loro resti, le loro briciole. E portavo via qualcosa che non sarebbe troppo mancato.

Così diventavo amico e confidente, ladro e custode.

Col tempo, divenni sempre più audace. Questo mi portò a rischiare.

Una notte mi spinsi nella cameretta di un neonato e quello si mise a piangere, gli infilai un biberon in bocca. Sentii la madre alzarsi, accostarsi alla porta.

Zitto, dicevo al neonato che spalancava gli occhi, non tradirmi. Non mi tradì.

Un'altra volta, nella camera di una ragazza bionda, non resistetti. Mi misi seduto vicino al letto, a guardarla. Le carezzai i lunghi capelli che scendevano dal cuscino, fino al pavimento. Lei aprì gli occhi, mi intravide per un istante, ma ero già sparito. Nemmeno gridò. Pensò forse che ero un sogno, una creatura del suo dormiveglia.

Sempre meno prudente, restavo nascosto e immobile, ad ascoltare battaglie erotiche, spesso più ridicole che eccitanti.

Una notte un pappagallo rosso mi denunciò rauco a tutto il condominio. Un'altra notte, trovai un ragazzo svenuto nella sua camera, immerso nel vomito. Lo pulii, lo misi a letto, aspettai che il suo respiro affannoso diventasse più regolare.

Aveva più o meno la mia età, mi assomigliava.

C'erano case che preferivo, dove ero stato ormai due, tre volte. Ce n'erano alcune in cui entravo audacemente dalla finestra, dal terrazzo. Di altre invece avevo paura. Erano quelle blindate, piene di serrature e allarmi. La loro musica era gelida. Ne temevo soprattutto una, in una zona nuova della periferia, frequentata dalle puttane e dai loro clienti. Ci viveva un uomo solo. In ogni angolo di questa casa c'era un'arma, un vecchio schioppo, un machete, una carabina. E pistole nei cassetti, almeno una decina, ben oliate e pronte. Il respiro di quest'uomo nel sonno mi spaventava. Era spesso interrotto da un rantolo rabbioso, un grido. Lottava anche contro i sogni. Per due volte ero entrato e avevo rubato due pistole. Per due volte l'uomo si era svegliato, avevo sentito i suoi passi pesanti, ed ero fuggito in tempo.

Ma qualcosa mi spingeva a osare ancora, trascurando l'esperienza e la prudenza. Avevo cominciato a immaginare che quelle case mi aspettassero, che qualcuno preparasse il cibo per me e attendesse il mio passo leggero. Che gli abitanti mettessero in mostra i loro oggetti perché ne scegliessi uno. Avevano qualcosa da offrire, da regalare.

Forse li rassicuravo. Sarebbe stato bello se tutto il male del mondo fossi stato io: un piccolo ladro notturno.

Era destino che la fortuna che mi aveva sempre assistito dovesse un giorno finire.

Il ricettatore improvvisamente affermò che era stanco di lavorare con me. Era entrato nel giro dei furti in villa, comprava e rivendeva quadri, gioielli, collezioni di Rolex. Cosa se ne faceva dei miei orologini e delle mie posate d'argento?

– Svegliati ragazzo, – mi disse – o morirai di fame. Anche rubare è un mestiere che è cambiato!

Così, per qualche tempo, decisi di star lontano dalle case. Rubavo portafogli, aprivo le macchine, scassinavo qualche distributore. Ma di notte ero inquieto. Vagavo nella metropolitana e nei bar. Cercai una compagna, ma non funzionò. La prima ragazza, quando seppe che facevo il ladro, mi mollò subito. La seconda mi disse che, se la amavo, dovevo rubare per lei una pelliccia.

Lo feci, ma non era dell'animale che voleva. E la storia finì.

Mi sentivo solo. E se passavo davanti a una casa in cui ero stato, mi sembrava che mi chiamasse, che attendesse il mio ritorno.

Così decisi di ricominciare.

Tornai nella prima casa che avevo visitato, forse quella che amavo di più. Ritrovai la coppia a letto, il ronzio dell'acquario, i cavallini di vetro. Ma la ragazza dai capelli viola non c'era. La sua camera era trascurata, sporca. Scoprii sotto il cuscino una scatola di sonniferi, e un quaderno.

Su un foglio c'era il disegno di un cuore sanguinante e la scritta:

Perché questa vita di merda?
Perché mi rubate la giovinezza?
Vorrei andare via di qui.

Sentii dei passi davanti alla porta. Mi nascosi in terrazzo. Era la ragazza che rientrava rumorosamente, ubriaca. Il padre si svegliò e cominciarono a litigare. Sentii piangere la madre.

Restai lì due, tre ore, accucciato. Poi entrai nella camera della ragazza addormentata.

Diedi da mangiare ai pesci e lasciai cinquanta euro sul tavolino.

In inverno le mie spedizioni notturne si complicarono, era freddo, il gelo faceva scricchiolare i miei passi, la gente non usciva. In una casa che amavo molto avevano comprato un cane, un diavolo nero che mi abbaiò contro. In un'altra, dove viveva un vecchietto collezionista di francobolli, vidi le persiane chiuse e la scritta "IN VENDITA". Ero turbato. Mi sembrava che qualcosa stesse cambiando e non potevo farci nulla. E il ricettatore minacciò di tagliarmi fuori del tutto.

Allora decisi di tornare nella casa delle pistole. Le armi si vendevano bene.

Ci andai una notte che pioveva, il rumore della pioggia scrosciante mi avrebbe aiutato. Era un villino anni trenta, con una magnolia di sentinella. C'era un cartello "ATTENTI AL CANE", ma sapevo che non c'erano cani in quella casa.

Per quell'uomo, i cani erano le sue armi.

Scoprii subito che aveva cambiato la serratura, i miei precedenti furti lo avevano allertato. Aveva montato un allarme costoso, ma scadente. Sapevo come neutralizzarlo.

Cercai una chiave che aprisse la nuova porta blindata, provai una cinquantina di modelli, e il mazzo due o tre volte tinnì. Non riuscii a entrare. Allora girai sul retro della casa, tutte le finestre avevano le inferriate, ma avevo notato un finestrino basso che dava nella cantina.

La grata era vecchia e consunta, la svelsi con facilità. Mi calai giù.

Nella cantina c'erano solo ragnatele, una pila di riviste d'armi e un vecchio scaldabagno. Salii gli scalini, piano piano.

E vidi la luce. Un piccolo barlume giallo, da sotto la porta.

Quell'uomo mi aspettava.

Restai in silenzio. Poi sentii un colpo di tosse. Era dietro la porta blindata, in agguato. Forse aveva sentito il rumore delle chiavi.

Sarei potuto scappare subito ma non lo feci. Dovevo affrontare l'odio di quella casa, la sua musica feroce.

Aprii la porta della cantina. Credo di non essere mai stato silenzioso come quella volta.

Feci alcuni passi nel corridoio, e lo vidi.

Era in piedi, con la barba lunga e gli occhi rossi, insonni. Guardava la porta e teneva puntate due pistole.

Lo sceriffo era pronto.

Allora il fuorilegge decise di combattere.

Presi un giornale e lo tirai in aria alle sue spalle, frullò come un fagiano. Lui si girò e iniziò a sparare tre, quattro volte, contro i muri, contro ogni ombra, mentre io tiravo altri oggetti, per confonderlo, e lui urlava:

– Bastardo ti ammazzo, ti ammazzo!

Scappai giù per le scale della cantina, mi sparò dietro due colpi. Stavo per fuggire nuovamente attraverso la grata divelta, ma avvertii uno strano silenzio. Poi dei passi sulla ghiaia.

Capii che mi aspettava fuori. Potevo uscire solo di lì. Era un buon cacciatore.

Mi sentii perduto. Ma riuscii a meditare un ultimo stratagemma.

Iniziai a gemere come un animale ferito.

– Aiuto, – gridai – mi ha colpito, sto morendo! La prego, mi aiuti... chiami la polizia, ma mi aiuti, perdo sangue, cazzo!

Il suo volto apparve alla grata divelta. La cantina era fatta a elle, mi ero rintanato dietro allo spigolo del muro perché non potesse vedermi o colpirmi. Sparò quattro, cinque colpi alla cieca, ricaricò, sparò.

– Bastardo, sei in trappola – ringhiò.

Restai in silenzio.

Poteva fare due cose. Chiamare subito la polizia e farmi arrestare. Oppure venire giù a vedere in faccia il nemico ferito, magari per finirlo.

Come prevedevo, scelse la seconda soluzione.

Lo sentii rientrare in casa e dirigersi verso la cantina, correva e ansimava.

Ero salvo. In un lampo uscii dalla grata e corsi via attraverso il giardino.

Risuonò il suo urlo di rabbia. Stavo correndo in mezzo alla strada, quando un ultimo colpo mi prese alla gamba. Mi nascosi dietro ai cassonetti dell'immondizia. Vidi la sua auto procedere lenta, alla mia caccia.

Non mi trovò.

Restai per un mese chiuso in casa, la ferita era brutta, il medicastro che la curò mi disse che avrei zoppicato per un po' di tempo, forse per sempre.

Addio, passi leggeri di gatto.

L'incantesimo era rotto. La magia che mi aveva fatto attraversare in silenzio quelle case era svanita. Per la prima volta, pensavo che i miei amici notturni forse mi odiavano. I miei furti li avevano fatti litigare tra loro, avevano seminato ira e paura. Avevo incrinato la loro sicurezza, il loro faticoso brandello di pace.

Ero un ladro, cosa avevo pensato di essere?

Ma non durò molto. Man mano che la ferita si rimarginava, i miei pensieri guarivano.

Guardavo le foto rubate, le tante immagini della mia famiglia segreta. Li immaginavo mentre si addormentavano. Sentivo il loro respiro, gli odori, i rumori, ripercorrevo con la mente ogni stanza.

Non riuscivo a rinunciare all'idea che non avrei più sentito quella musica. Che non avrei più conosciuto i piccoli misteri di quelle vite semplici.

Ci volle del tempo, non mi sentivo più invincibile. Ma dovevo ritrovare coraggio. Perciò decisi di ricominciare dalla mia casa preferita. La prima che avevo visitato, quella dei cavallini di vetro e della ragazza coi capelli viola.

Mi avvicinai a mezzanotte. La luce era ancora accesa. Stavano alzati più del solito. Li vidi indaffarati alla finestra. All'una la luce si spense.

Ero diventato molto prudente.

Entrai alle tre.

Appena dentro, sentii che qualcosa era cambiato. C'era cattivo odore. I piatti non erano lavati, il pavimento era sporco. E la musica era diversa. Non sentivo il russare dell'uomo. E neanche il ronzio dell'acquario.

La ragazza non c'era più. La camera sembrava abbandonata da tempo, armadi e tavolino sgomberati, tolti i poster dalle pareti. L'acquario era vuoto e puzzava di marcio.

Mi dovetti sedere sul letto. I pensieri correvano in fretta.

Andai nel salotto. I cavallini di vetro c'erano ancora, il televisore era al solito posto, ma qualcosa mi diceva che niente era come prima.

Aprii il frigo. Quasi vuoto. Mezza bottiglia di vino stantio. Un formaggio pallido esalava miasmi.

L'ansia si impadronì di me. Andai verso la camera da letto. Da fuori non li sentivo respirare.

C'erano? Erano andati via anche loro? O la ragazza li aveva abbandonati ed erano morti dal dolore, oppure la ragazza era...

Mi sedetti per terra e piansi.

Nella mia casa era accaduto qualcosa di terribile e io li avevo lasciati soli. Non ero tornato in tempo. Sarei dovuto esserci, ma li avevo abbandonati e quella casa non sarebbe mai più stata la stessa. Non ci sarebbe più stata quella musica.

Allora mi sdraiai sul letto della ragazza.

Guardai il soffitto, le macchie, i muri spogli.

Era freddo. Mi tolsi le scarpe, senza preoccuparmi del rumore, mi misi sotto le coperte.

E aspettai.

SOLITUDINE E RIVOLUZIONE DEL TERZINO POLDO

Tanti e tanti secoli fa, disse zio Nabucco, giocavo a calcio nel campionato dilettantistico. Molte cose sono cambiate da allora, e quattro in modo assai evidente.

E cioè il sottoscritto, il pallone, i campi da gioco e il ruolo del terzino.

Il sottoscritto, non so per quale misteriosa ragione, cinquant'anni fa correva più forte e più a lungo.

Il pallone, a quei tempi mitici, non era bianco a spicchi colorati, ma di color bruno-giallastro, anzi, per essere precisi, color merda di mucca, almeno quando era nuovo. Dopo aver preso le prime dosi di pedate, cambiava colorito: d'estate diventava bianco e spelato, d'inverno si tramutava in un bolo di terriccio.

La sua particolarità era di pesare dieci, anche venti volte un pallone di adesso. Quando il campo era infangato, sembrava che amasse rotolarcisi dentro come un porco nel brago, e schizzare come un nero fantasma. Ma soprattutto, intriso di mota, diventava un macigno, un proiettile di mortaio, un meteorite, e ognuno di noi, quando doveva colpire di testa, chiudeva gli occhi e aspettava l'impatto con timore e reverenza. Era come ricevere sulla testa il Sacro Pugno del Dio del Calcio, che piombando dal cielo ammoniva: solo se resisti in piedi, sei meritevole di giocare.

In quanto ai campi da gioco, erano di due tipi: dove non c'era l'erba, e dove una volta c'era stata. Si giocava su terreni screpolati e aridi come deserti, o su campi pronti alla semina, con dossi, crepacci e crateri, si incontravano argilla, arenarie e sabbia, ma dell'erba nessuna traccia. Se ne spuntava un piccolo ciuffo nelle vicinanze della porta, la sola vista ci causava stupore e commozione. Molti di noi, avvicinandosi a quel punto, scartavano per non pestarla. Era così fragile, così verde, così rara.

Ma la differenza maggiore tra i tempi attuali e quel medioevo era il ruolo antropologico e destinale del terzino. Ora il terzino si chiama difensore di fascia, è un giocatore come un altro, anzi, come si usa dire, "un giocatore completo". Difende, corre sulla fascia, spinge, crossa, va anche a fare gol.

Ma in una recente antichità era diverso.

Il terzino era un asceta, un eremita della marcatura, e il suo monastero era la metà campo difensiva. Il suo lavoro era di impedire all'ala-attaccante di segnare, null'altro. Quando l'attaccante non aveva la palla, il terzino guardava il gioco con la tranquillità di una mucca, poteva anche sdraiarsi a scrutare le nuvole. Ciò che accadeva nell'altra metà del campo non lo riguardava, se non nel momento del gol, quando anche a lui era concesso gioire.

Io assistetti alla rivoluzione, al passaggio epocale che segnò la fine del vecchio evo terzinario.

La nostra squadra, vigorosa équipe di montagna, aveva naturalmente due terzini. Quello di destra, Baslini detto Cagnone, era geneticamente difensore: basso, tarchiato, con corte gambe nodose adatte a percuotere gli stinchi dell'attaccante. Essendo quasi senza collo, non alzava mai la testa dal gioco. Il suo habitat era di trenta metri quadri. Lì ringhiava, sbuffava e si guadagnava la pagnotta. Mai, dico mai, si avvicinava alla linea di metà campo. Conquistata un'eventuale palla, aspettava che un mediano transitasse nei paraggi e gliela consegnava.

Il terzino sinistro invece si chiamava Galilei, detto Poldo, ed era un terzino anomalo. Alto, magro, con un grande compasso di gambe, il migliore nella corsa. Avrebbe potuto essere un centravanti, o un centrocampista, ma la tranquillità del carattere e un allenatore poco fantasioso lo avevano relegato a quel ruolo.

Ma non era un terzino felice.

Perché una volta fermato l'avversario, partiva con la sua lunga falcata e vedeva spalancarsi davanti una sconfinata prateria. Alzava la testa, annusava l'aria. Oltre la linea della metà campo, lo sapeva, c'era un altro meraviglioso mondo, il regno degli attaccanti e dei cannonieri, odore di polvere da sparo e avventura, un'isola fatata al di là del mare. Ma giunto alla linea mediana frenava, si arrestava e guardava l'allenatore, interrogandolo con gli occhi, come a dire: e adesso? Ma il mister, il catenacciaro Pullega, gridava ogni volta:

– Passa la palla e torna al tuo posto!

Il "tuo posto" era indietro, vicino al portiere, mentre altrove la battaglia infuriava. Qui Galilei restava, spalla a spalla col suo attaccante, con cui poteva stabilire qualsiasi rapporto: di indifferenza, di simpatia, di vaffanculo, di sputi, di muta solidarietà. Ma all'attaccante, qualche volta, veniva concesso di cambiare metà campo per difendere. Poldo invece no: invecchiava lì, inchiodato al suo destino.

Un giorno perdevamo uno a zero, gol beccato al ventesimo del primo tempo. Attaccavamo ormai da più di un'ora senza successo. Gli avversari, caparbi, biancorossi e valligiani, chiusi nel loro bunker, resistevano. Per Baslini e Poldo c'era poco lavoro. Baslini si era addirittura messo a corteggiare una vistosa bruna del pubblico. Galilei invece allungava il collo da airone, per spiare cosa accadeva là in fondo, e scalpitava.

L'assedio proseguì, ma era chiaro che la nostra spinta si attenuava, gli attaccanti erano esausti e sempre più facilmente controllabili, i tiri divenivano fiacchi e il fiato mancava. Io ero azzoppato e il centravanti ansava come un vegliardo. Il nostro destino sembrava segnato.

Ma ecco la Storia irrompere tra noi. Una palla calciata altissima rimbalzò sulla metà campo. Nessuno era nelle vicinanze, la mezz'ala destra avversaria si mosse per domarla, a piccoli passi. Ma dalla nostra area, a grandi falcate, come un cavallo al galoppo, ecco partire Poldo, eccolo divorare il terreno, eccolo anticipare l'avversario e, palla al piede, ritrovarsi per inerzia esattamente un metro oltre la nostra metà campo, in terra nemica.

Si fermò. Forse temeva la punizione per il suo sacrilegio: un fulmine dal cielo, o un sisma. Ma nulla di questo accadde. Davanti a lui c'era l'Altra Metà proibita, quella della porta avversaria. Una luce prometeica brillò nei suoi occhi.

– Passala e torna indietro! – tuonò Pullega.

– Col culo, mister – rispose Galilei, e continuò ad avanzare, sotto lo sguardo allibito dei biancorossi. Nessuno osò affrontarlo, il suo ardire aveva annichilito tutti. Entrò in area, scartò con un dribbling fratricida il terzino avversario e sparò un gran tiro sotto la traversa. Gol e pareggio.

Ci furono alcuni secondi di silenzio. Pochi, tra cui il sottoscritto, capirono che era accaduto qualcosa di rivoluzionario, paragonabile forse alla scoperta del fuoco. Il pubblico, dopo lo stupore, applaudì. Galilei tornò al suo posto caracollando. Non sapeva ancora di aver cambiato il destino dei terzini futuri.

L'allenatore Pullega scuoteva la testa, non sapendo se gioire o arrabbiarsi. Tutta la sua capronaggine difensivista era andata in fumo, era crollato il muro di Berlino delle sue ideologie. Poi sorrise.

Quell'anno Galilei varcò molte altre volte la metà campo e segnò sei gol. Alla fine del campionato anche Baslini, timidamente, ogni tanto andava in attacco sui calci d'angolo.

Poco tempo dopo, un giocatore di nome Giacinto sarebbe passato alla storia come prototipo di terzino fluidificante e primo difensore goleador del campionato italiano. Ma io, che fui testimone degli eventi, posso dirlo: la rivoluzione che cambiò il calcio italiano, forse europeo, forse mondiale, fu iniziata dallo sconosciuto Galilei, in un pomeriggio di sole su un campetto di montagna. Lo fece senza miliardi e senza telecamere, davanti a trecento spettatori, con un rimborso spese di dodicimila lire mensili e lavandosi la maglia da solo, ogni lunedì.

Ovunque tu sia adesso, Poldo Galilei, a te la Gloria degli eroi sconosciuti.

FRATE ZITTO

Wherever I am I am what is missing.

M. STRAND, *Keeping Things Whole*

Non si dovrebbe parlare di Dio. Non conosciamo la sua lingua. L'Universo si manifesta e scompare senza parole, siamo noi a inventare una voce al suo terribile silenzio. Dal primo grido di paura che l'uomo gettò sulla Terra, ogni nostra frase è poco più del lamento di un animale. Possiamo soltanto ascoltare. Come l'incanto di una musica lontana, nel cuore della notte. A cosa serve sapere chi l'ha scritta, chi sta cantando, a chi è dedicato quell'amore? Perché immiserire Dio, visto che di dèi miseri e impotenti è piena la storia? Perché voler dare a Lui il volto incerto delle nostre idee e della nostra preghiera?

Quando la stessa parola "Lui" è un inganno, io ne scrivo e non potrei.

Ma l'ora in cui non avrò più bisogno di spiegare è giunta, e con pazienza mi preparo a entrare nel buio, il buio che lo specchio del mondo non riflette.

Questo dunque è il mio racconto, nella lingua degli uomini.

Sono entrato in convento a sedici anni, il perché non importa. Ora ne ho quasi settanta. Ho smesso di parlare quando ne avevo quarantadue. Una sera, dopo aver sentito due confratelli litigare su un testo latino dell'Immacolata Concezione.

Avevo la testa in fiamme per l'ira. L'ira mi ha sempre fatto fare cose stupide, ma quella volta mi fu amica. Uscii e vidi che era la prima sera di primavera. Una luce misteriosa, azzurrina, accompagnava verso la notte la processione dei pioppi. E il convento era scuro e tetro, ma il riflesso di un rogo di stoppie lo rendeva incantato, come se in quella luce rossastra fosse visibile il nostro ardore: noi uomini separati, ma non spenti.

Non ricordo quale fu la mia ultima frase. Né latino né teologia. Forse un banale "Esco a guardare il fuoco" rivolto a un confratello.

Quella sera tornai in convento, e all'ora preposta non pregai, restai muto. Non risposi a chi me ne chiedeva ragione. Tranquillamente, cercai di spiegare a gesti che stavo bene.

Scrissi su un foglio *"Sine verbis vivam"*.

Venne un medico, un uomo severo e scarno come san Girolamo. Vide qualcosa nei miei occhi e subito disse: – Non è malattia. Quest'uomo potrebbe farlo, ma non parla. La mia scienza non può spiegare il perché.

I primi tempi non fu facile. Tutti si chiedevano se quel mio improvviso silenzio era segno di follia, o di raggiunta santità. Non era evidentemente nessuna di queste cose.

Non pensate che volessi angelicarmi, fuggire dalla mia natura terrena, mortificarmi come i Padri del Deserto. Non cercavo la lingua degli angeli di san Pacomio, non mi feci mordere i genitali da una serpe come Pacone, non scoppiai a piangere a tavola come l'asceta Isidoro, per vergogna dell'atto impuro del mangiare.

Non fu così: fame, sogni notturni e desiderio del tepore del camino restarono.

Il silenzio era venuto, non lo avevo scelto.

Il padre priore dapprima mi volle dissuadere. Disse che il voto del silenzio è pratica seria, che non nasce da un istante. Il nostro non era il monastero della Grande Chartreuse. Aggiunse che il mio inspiegabile tacere metteva in difficoltà i confratelli, che non potevo essere così egoista e superbo, lingua e parola sono doni di Dio. Dio è Verbo. Mi lesse la Bibbia. Mi scongiurò quasi piangendo. Poi si rassegnò.

Imparai, con segni, sorrisi ed espressioni, a vivere i ritmi conventuali. Anche fuori, in paese, dopo un iniziale stupore, la mia scelta fu accettata. Mi chiamavo Zito, e il passaggio fu facile: divenni frate Zitto. Per i bambini, soprattutto, nulla cambiò. Solo qualche sguardo di curiosità, e qualche boccaccia.

Non parlavo neanche quando ero solo. Ogni tanto, nel chiuso della mia cella, emettevo rumori, come versi di animale. Ma era solo per sentir vibrare lingua e gola, per controllare se la mia fosse ancora una rinuncia, non un'impossibilità.

Non gridai neanche quando in cucina una pentola di acqua bollente mi si rovesciò sui sandali. Non parlai nel delirio della febbre.

Non parlai una notte quando sul sentiero degli alberi di mele cotogne fui aggredito, picchiato, derubato delle elemosine.

Prima del silenzio, ero il bibliotecario del convento. Il mio compito era catalogare, rilegare, restaurare. E tener lontana l'avidità di sapere dei topi. Era un lavoro che amavo. Ma padre Leone, il priore, che pure mi voleva ancora bene, era assediato da voci maligne e ostili che richiedevano per me una punizione esemplare.

Credete che il diavolo non possa entrare in un convento? Non solo entra, ma ci soggiorna, e ci si crogiola. In quale luogo potrebbe meglio godere dei suoi poteri?

Alcuni confratelli che io ritenevo, se non amici, almeno solidali, inventarono ogni sorta di calunnie nei miei confronti. Non so da dove nascesse quell'invidia. Penso che il mio silenzio mettesse in risalto, con maggior chiarezza, quanto le loro parole fossero diverse dalla loro vita. E quanto, in cuor loro, sapessero che Dio era impronunciabile e distante.

Distante è la condizione di ogni viaggio, avrei voluto dire loro.

Ma ormai ero un nemico. I più mi guardavano con sospetto, o con disprezzo, pochi con pena o simpatia. Avevo scelto prima di essere diverso dal mondo, e poi diverso da loro. Mi pensavano superbo.

E lo ero. Poiché *Supra nos silentium siderum.*

Accesero a poco a poco un rogo di parole malvagie. Dissero che non parlavo perché ero posseduto, e che nella notte urlavo bestemmie, parole impure e nomi di donna. Che mi avevano sentito emettere versi di animale, capro o bue, e proferire formule in una lingua, gutturale, demoniaca. Sostennero che ero diventato folle, perciò in procinto di compiere qualche azione empia e criminosa. Io sedevo spesso vicino al camino, perché la voce della fiamma, e del legno, mi incantava. Dissero allora che sentivo il richiamo del fuoco infernale. Un giorno avrei incendiato la biblioteca e tutto il convento.

Padre Leone fu costretto ad ascoltarli. E mi tolse da quella stanza vasta e fredda, dal silenzio amico dei miei amati libri.

Ovviamente, non dissi nulla. Lo guardai negli occhi e sentii che era costretto, e dispiaciuto. Mi bastò.

Fui destinato a occupazioni più umili. Pulire le erbacce del selciato, attingere acqua dal pozzo, e soprattutto occuparmi dell'orto insieme a padre Glauco, un vecchissimo frate meravigliosamente balbettante e confuso. Mi appassionai subito a questo nuovo lavoro.

Nella varietà meravigliosa delle erbe, negli odori della terra bagnata o smossa, nella vita sotterranea di topi e insetti, vedevo parole e grammatiche nascoste, simili a ciò che cercavo.

Dico simili, badate, perché non posso negare che dopo i primi anni di silenzio crebbe in me una strana inquietudine.

Era come se aspettassi davvero di vedere Dio. Di vederlo apparire, nello spazio vuoto lasciato dalla mia rinuncia. E questa sì, era superbia.

In certe mattine di brina, nell'erba ondulata dal vento, nell'abisso del pozzo che rifletteva il sole, cominciai a guardare fisso, in attesa.

Era una nuova sofferenza. Era ancora una volta la ricerca di qualcosa, preciso e ostacolante come la parola.

Non esisteva esercizio, mortificazione o preghiera contro questo desiderio. Semplicemente, di anno in anno si attenuò. Finché lo ritenni spento.

Volevo vedere Dio, ma ero pronto a non vederlo mai.

Un'occupazione che amavo particolarmente era aiutare frate Glauco a occuparsi delle arnie. Lui parlava davvero con le api. Quando arrivava, lo sciame lo riconosceva, vibrava come un'orchestra, lo aureolava, sembrava contento di offrire il suo miele. Io restavo un po' a distanza, aspettando che mi passasse i favi. Parlava con le api, ma soprattutto rideva, e quelle sembravano ricambiarlo. Ridendo lo sentivo sussurrare: – Buone, brave piccole amiche, grazie.

Loro gli rispondevano ronzando e ne nasceva uno strano concerto, simile alle nostre voci unite nella preghiera vespertina.

Forse gli angeli sono api industriose. Forse frate Glauco era vicino a Dio più di quanto io fossi mai stato.

Lui intuì i miei pensieri. Una sera stavamo rientrando al convento lungo il sentiero dei meli cotogni, l'aria era piena del profumo del miele e dei frutti caduti a terra, un odore dolce e sensuale. Strani pensieri si affollavano nella mente. Una camera piena di profumi, una veste di donna, un quadro illuminato da una lampada a olio. E guardavo il paesaggio, come cercassi un'ombra, una figura. Lui si accorse del mio turbamento, accostò la bocca al mio orecchio e disse con voce appena percettibile:

– Non si può parlare di Dio, perché *noi* siamo le parole. Non cancellarle in nome di una parola sola. Infiniti sono gli dèi e il loro sciame, infinita la bellezza che vola e morde.

Erano frasi blasfeme e misteriose, come misterioso era lo sguardo ardente che mi lanciò, per tornare subito alla sua placida ebetudine.

Ricordai quello che si diceva di lui. Che aveva viaggiato, e adorato divinità lontane. Che era entrato in convento a tarda età, dopo essere impazzito d'amore per una donna. Che teneva nella sua cella una copia dell'*Hypnerotomachia* di frate Colonna.

Il buon guardiano delle api aveva visto qualcosa che non conoscevo.

Passarono gli anni, il convento fu puntellato e ristrutturato. Un frastuono di mattoni e ruspe, per molto tempo, incrinò non solo il mio silenzio, ma quello di tutti. Frate Glauco morì, lo trovarono disteso nel prato, con lo sciame delle api che lo vegliava, ronzando sopra di lui. Anche il priore Leone morì, e ne arrivò un nuovo, padre Marcello, di idee alquanto moderne. Vedendomi lavorare sodo, non ebbe nulla da dire sul bizzarro frate Zitto di cui gli avevano parlato. Credo mi ritenesse matto, ma obbediente e innocuo. Fece subito capire alla confraternita che dovevamo sì pregare e meditare, ma anche curare la terrena sussistenza. Era necessario moltiplicare i pani e i pesci del nostro piccolo mondo. Ad esempio, il convento era famoso per il suo erbario, da cui si traevano medicamenti, pomate e oli, e un amaro piuttosto pregiato. Tutto ciò a uso interno, o per i pochi fedeli che ne erano a conoscenza. Ora il priore Marcello disse che non era peccaminoso né profano vendere quei prodotti, per nostro maggior decoro e per aiutare i poveri.

Ma la nostra grande attrazione, per usare un termine mondano, era il Chiostro delle Ali. Una costruzione iniziata nel Mille, un giardino interno al convento, con un porticato di trentasei colonne. Ogni capitello era diverso dall'altro, e ritraeva insieme angeli e diavoli, che incorniciavano con le ali differenti scene. Nelle sculture si erano mescolati nei secoli stili e sogni, motivi arabo-normanni, influenze ottoniane e carolinge, sviluppi gotici, motivi cistercensi, dei magisteri Antelami e della scuola di Wiligelmo, motivi di miniatura d'Oltralpe e altro ancora. Così in viva danza di pietra erano ritratti Vizi e Virtù, i fiumi del Paradiso, il dubbio di san Tommaso, i pellegrini di Emmaus, san Michele, Giona e la balena, la volpe finta morta, il lupo scolaro, e demoni alati che torturavano Giuda impiccato. E poi zoomorfismi e creature bizzarre, basilischi, ippogrifi, fauni, tritoni e telamoni. Una dea senza bocca, uno scimmione barbuto, e mostruosi volti urlanti che, anche se ritoccati e scalpellati, continuavano a inquietare e interrogare la nostra curiosità.

Si decise che ogni fine settimana i visitatori sarebbero stati ammessi a vedere il chiostro, sotto la guida di un dotto frate di nome Cicero. E nel porticato vi sarebbe stato uno spazio ove vendere i nostri prodotti.

Fu un successo. Ogni sabato e domenica giungevano visitatori a decine, più di quanti aspettassimo. Si venne a sapere che a Roma padre Marcello aveva amici nella stampa vaticana e laica, e parecchi servizi erano stati dedicati alla "gemma nascosta" del nostro convento.

Le parole, vecchie e nuove parole, presero a risuonare attorno a noi, in lingue straniere mai udite.

Io fui messo a presidiare la bancarella delle vendite, insieme a un frate, naturalmente parlante, fra Galdisio. Impacchettavo, riscuotevo, sorridevo, indicavo. Se qualcuno si rivolgeva a me, ascoltavo, poi con cenni spiegavo a Galdisio la richiesta e la risposta: lui era, insomma, la voce della mia competenza. E la gente simpatizzava con me, con questo gigantesco frate muto e barbuto (ecco, ora conoscete il mio aspetto). E compravano.

Questa invasione di volti e lingue incuriosì ed eccitò molti dei miei confratelli. Venivano donne belle e ragazzi rumorosi. Molti chiesero di prendere il mio posto di venditore. Ma il priore amava il mio modo di stare in mezzo alla gente. Anzi, Dio lo perdoni, credo che mi considerasse un'ulteriore attrazione.

Se avesse immaginato...

Alcuni di quei volti mi piacevano, altri mi erano indifferenti. Ma nessuno di essi aveva per me il fascino di una pianta, o della neve, o della luce. Erano volti umani. Bei volti di vecchi rugosi, occhi brillanti di bambini, donne dal passo elegante, ma nessuno avvicinava ciò che cercavo. Erano il libro del mondo, ma non potevano raccontarlo. Nessuno di loro poteva spiegarmi la grammatica di Dio.

Una mattina come tante, accadde.

Era una domenica di pioggia battente, con tuoni e scrosci, perciò immaginammo che ben pochi sarebbero venuti a visitare il chiostro. Ma fra Galdisio volle ugualmente apparecchiare il tavolo espositivo e frate Cicero si preparò a eventuali visite.

Una nebbia sottile e triste avvolgeva il giardino, e ne smorzava i rumori.

Nessuno venne fino alle undici, e stavamo già per chiudere il portone quando lei entrò.

Poteva avere vent'anni. I capelli scuri e lunghissimi, bagnati di pioggia, le ricadevano sul volto, ma non potevano coprirne la luce, l'incanto dell'ovale, gli occhi chiari e stanchi, la bocca socchiusa, ansante per la recente corsa. Una piccola cicatrice le attraversava la guancia, la carezza di un dio innamorato e maldestro. Un grosso zaino sulle spalle indicava che stava viaggiando. Era snella, e camminava diritta, come andasse all'altare.

Anche fra Galdisio e frate Cicero si accorsero della sua bellezza, e sorrisero timidi e affascinati.

Io no. Senza rendermi conto del perché, tremai.

Lei entrò nel percorso del chiostro, dal primo lato a est, dove splendeva la luce di una lanterna rimasta accesa. Camminava piano, appariva e scompariva tra le colonne, seguita da un passero saltellante. Quando guardava in alto, il collo e il mento erano più bianchi del colonnato, e una mano scostava i capelli dal volto. Immaginai che quella mano fosse la mia.

Un tuono più forte degli altri percosse l'aria. Lei si avvicinò. Non fuggii.

Avevo sempre pensato che l'incanto della donna fosse chiuso nello scrigno delle poesie, e nel sortilegio dei quadri. Che niente potesse essere bello come le nobildonne e le Madonne dipinte, trasfigurate dalla passione dell'arte e dall'amore di Dio.

Avevo creduto che il turbamento provato in giovinezza per qualche donna fosse solo il riflesso di quella bellezza inventata e sospesa.

Ma lei era lì e si avvicinava, vera e terribile, con gli occhi accesi dalla curiosità.

Venne proprio verso di me, e io non potevo muovermi, né distogliere gli occhi. Tremavo al ritmo della pioggia e dei suoi passi.

E nuovamente lei con una mano si scostò i capelli e i suoi occhi erano color miele, il miele delle api.

Pensai: ora la sua voce mi libererà dall'incantesimo. Una lingua straniera, un accento, una voce flebile, la riporterà nel mondo, e io con lei.

Ma lei fece un cenno con le mani sottili, un cenno che io capii subito. Voleva dire: posso continuare la mia visita, posso andare nell'altra parte del chiostro?

E io con un cenno le spiegai che frate Cicero l'avrebbe accompagnata, e con un sorriso aggiunsi che lei era gradita tra noi.

Lei disse qualcosa muovendo le dita, rapida. E non ebbi più paura. Le spiegai con gli occhi: siamo uguali, ma non conosco il tuo alfabeto.

Era muta.

Un po' stupita mi guardò. Aveva di fronte un muto che non parlava la lingua dei muti. Sostenni il suo sguardo. E vidi che in un attimo sapeva di me più di quanto nessuno avesse mai saputo.

E insieme, ridemmo.

Era venuta da lontano.

Ciò che avevo aspettato da sempre. Il punto del vento, delle api, degli steli.

Supra nos silentium siderum.

Ora le stelle erano cadute.

Lei era tutto ciò a cui il mio silenzio era dedicato. Le parole, la grammatica, il libro, le nuvole dell'attesa, il tuono del desiderio.

E piansi, davanti alla bellezza, e a tutti gli dèi che mi erano venuti a trovare, al loro sciame festoso, di cui lei era regina, l'imperfetta, addolorata regina.

Lei mi toccò la spalla, turbata dal mio pianto.

Io la abbracciai, piangendo più forte, caddi in ginocchio e le baciai le mani, emettendo dalla mia gola rugginosa un suono incomprensibile e dolce.

Mi portarono via in fretta, irosamente, mi trascinarono.

Non riuscii neanche a vedere la sua reazione.

– Addio, addio! – gridavo, con voce roca di vecchio cane, la mia nuova voce, ritrovata.

C'è qualcosa nel buio di questa cella, e nell'odore di muffe e terra, che ogni mattina mi risveglia.

È uno spiraglio di sole, una falce di luce che illumina sempre lo stesso punto del muro.

In quel punto io ho disegnato, con un coccio di mattone, il volto della ragazza.

E intorno un volo di api, una nuvola, alberi.

Salve regina, canto dentro di me ridendo.

Siamo noi le parole.

Infinito lo sciame degli dèi, infinita la loro bellezza che vola e morde.

E ogni tanto il silenzio mi si spezza dentro all'improvviso e la mia voce si spalanca in un urlo che atterrisce tutto il convento.

Non capite, grido, perché non capite?

CARMELA

Zio Giovanni si coprì un po' gli occhi per ripararsi dal sole e la vide in mezzo al prato.

Camminava pensosa e lenta, guardandosi intorno. Ogni tanto girava di scatto la testa, come se avesse sentito qualche rumore. Poi riprendeva la passeggiata.

Spiccò, col suo bel vestito bianco, nell'ombra dell'ippocastano. E zio Giovanni la chiamò.

– Carmela...

Si avvicinò sospettosa. Zio Giovanni la trovò un po' invecchiata, una ruga in più attorno agli occhi. Le sorrise, si sedette sulla panca di pietra, e le offrì un chicco d'uva.

Carmela lo mangiò con calma poi chiese:

– Allora, zio, cosa c'è?

– Perché dici così? – disse zio Giovanni sfregandosi la barba ispida. – Ci dev'essere qualcosa?

– Quando vieni con quella faccia seria, vuol sempre dire che qualcosa non funziona. Ormai ti conosco da un pezzo. Quanti anni sono?

– Sette, Carmela.

– Sette anni. Mi sembra ieri. Eravamo poche, allora, nella casetta. Una decina, mi pare...

– Quando sei nata tu, eravate otto. Adesso siete più di venti.

– Sì, e stiamo strette. Dovresti darci più spazio. Per non parlare del Francese, e delle Chiacchierone, e di Dodo.

– Proprio così – rise zio Giovanni. – In effetti questo prato comincia a essere molto abitato. Ma dimmi, non ti piace il Francese, vero?

– Proprio no, – disse Carmela, grattandosi – è un gran borio-

119

so. E poi quell'abitudine di svegliarsi presto e rompere la scatole a tutti...

– È di ottima famiglia – disse zio Giovanni.

– Può anche essere un principe, ma è un rompiscatole e un vanitoso. Sempre a guardarsi il vestito, e poi non vedi come cammina? Sembra che abbia un uovo nel culo...

– Ti piaceva di più Vercingetorige?

– Vercingetorige era un signore – sospirò Carmela. – Gentile con tutte, non ha mai fatto il capo, né lo sbruffone. Non meritava quella fine.

– Lasciamo perdere, Carmela – disse zio Giovanni.

Restò in silenzio. Le rane gracidavano nel pantano. Nel cielo azzurro, un po' velato, un volo di storni si apriva e si ricomponeva, cercando un albero su cui posarsi. Le colline erano bronzo e oro.

– Vedi, Carmela, devi sapere... che Sandrino è un po' malato.

– Lo credo, – disse lei – tutto il giorno a correrci dietro, solo con una maglietta addosso. Finisce sempre sudato. Ormai è autunno, comincia a far freddo. Mica è vestito come noi.

– Certo. La sua povera mamma glielo diceva sempre: copriti, copriti. Insomma, adesso lui è a letto con la febbre alta, bianco come un cencio...

– Avevo notato che da un po' non veniva a trovarci, ma pensavo che fosse perché è cominciata la scuola... i compiti o chissà cosa.

– No, è a letto da quattro giorni. È molto debole. È venuto il dottore.

– Barbagrigia?

– No, – rise zio Giovanni – quello è il medico per voi. Lui ha un altro medico, uno molto serio, che viene dalla città. L'ha visitato tutto, ha sentito il polmone e il respiro. Ha detto che è molto debole.

– E ha detto cosa bisogna fare per curarlo?

Zio Giovanni si alzò in piedi e si fece molto serio. Guardava verso la valle, ma si vedeva che aveva la testa da un'altra parte.

– Ecco le Chiacchierone – disse.

Passarono in tre, sculettando, parlottando tra loro come al solito. La più giovane delle tre, Germana, vide Carmela e disse:

– Ciao, vecchietta...

– Ciao, bruttona testa pelata. Ti vedo più grassa del solito.

– Sempre acida sei. Cosa c'è, il Francese non ti guarda? Preferisce quelle più giovani?

– Il Francese piacerà a te, – disse Carmela – oca che non sei altro.

Se ne andarono, sempre chiacchierando. Il cane passò di corsa, e scapparono via urlando spaventate.

– Brutte fifone, – disse Carmela – fifone e maligne. Io non so cosa ci trovi in loro.

– Ma dai, sono buone in fondo – disse zio Giovanni.

– Tu lo sai certo meglio di me – disse Carmela. – Insomma, visto che non ti decidi a parlare, vuoi che ti ripeta io cosa ha detto il dottore?

– Ma dai, mica puoi saperlo.

– Sì che lo so. Ha detto, questo ragazzo ha la polmonite, è debole, e anche un po' denutrito. Non guarirà, se continua a mangiare polenta. Ci vuole un bel brodo caldo... eccetera, eccetera.

– Beh, non ha detto proprio così, ma...

– Non prendermi in giro, zio – disse Carmela inclinando la testa. – È la stessa cosa che è successa a Nunzia. Allora si ammalò la zia...

– Vedi, Carmela, è... come dire... la tradizione... la più vecchia di voi...

– Lo so, lo so. Tocca a me. Mica mi lamento. Lo sapevo che sarebbe accaduto, prima o poi.

– Io avrei anche pensato a una delle Chiacchierone. Ma il dottore ha detto no, ci vuole... un brodo buono...

– Dovrei essere orgogliosa, insomma.

– Carmela. Ti prego. È difficile per me... Se tu potessi vedere Sandrino, così smunto e pallido nel letto, con gli occhi socchiusi. Prova a leggere ma non ci riesce, si addormenta subito. E l'altra notte delirava...

– Certo, certo – disse Carmela. – Ne ho viste di malattie, nella casetta. Capisco, è naturale. È così da sempre. Uno se ne va, un altro guarisce, uno muore, un altro rifiorisce.

– Non ricominciare con i tuoi discorsi filosofici per favore, sai che non li capisco.

– Cercherò di essere semplice. Vedi, io comprendo le tue ragioni, ma le ragioni sono sempre vostre. Voi decidete per noi. A te non succede che una bella mattina qualcuno entra in casa e ti dice, zio Giovanni, vieni con me che è il tuo ultimo giorno.

– Beh, qualche anno fa succedeva – disse zio Giovanni. – Dormivamo con lo schioppo vicino al letto. Mio fratello l'hanno ammazzato mentre faceva acqua dal pozzo, a mezzanotte...

– Ho sentito la storia, me l'ha raccontata Dodo, che l'aveva sentita dal cavallo. Brutti tempi. Beh, insomma, allora puoi capire cosa provo io...

– Capisco sì, – disse zio Giovanni – e non mi va giù. Tutta notte ho rimuginato un'altra soluzione. In fondo, pensavo, esiste anche il brodo di dado...

– No, – disse Carmela alzando fieramente la cresta – il brodo di dado non nominarlo neanche. Ci vuole un gran brodo nutriente di gallina ruspante. E io sono la più vecchia e la più appetitosa. Anche se Sonia è più grassa di me, quella porca mangiavermi, e in teoria neanche Saveria sarebbe male, ma è ancora una che spara due uova al giorno.

– Ma tu se fossi in me cosa faresti? – disse zio Giovanni, con la testa tra le mani.

– Io metterei in pentola il Francese, così non rompe con i suoi chicchirichì ogni mattina. Oppure farei una bella Chiacchierona all'arancia, magari Germana.

– Quella ce la mangiamo a Natale.

– Allora Dodo lo scampa anche quest'anno?

– Credo di sì... lo facciamo... arrotondare ancora un po'.

– Questa è una buona notizia. Dodo è un tacchino molto colto e socievole. Uno dei migliori che abbiamo avuto. Posso farti una confessione?

– Certo.

– Vedi... mi vergogno un po', ma siccome tra un poco salirò la Grande Scala, te lo confesso. Abbiamo provato a volare.

– Ma dai...

– Sì. Io, Dodo e Nefertiti, la faraona, quella che poi è stata uccisa dalla faina. Un giorno abbiamo studiato per bene un corvo, poi siamo saliti in cima alla staccionata dei maiali. Cioè, io ce l'ho fatta subito a salire, sbattendo le ali, e anche Nefertiti. Pure Dodo ci ha provato, ma è caduto tre volte. Era da ridere...

– E poi cosa avete fatto?

– Beh, Nefertiti è decollata per prima... ma ha le ali piccole, ha fatto un tuffo ed è colata a picco. Un disastro, piume dappertutto. Poi ci ha provato Dodo, è saltato giù e si è messo a correre sbattendo le ali, ma non si staccava da terra, alla fine ha fatto un balzellone ed è finito contro il pagliaio. E diceva: ce l'ho fatta, avrò volato almeno venti metri. E noi non lo abbiamo disilluso, ma ne avrà fatti al massimo due o tre.

– E tu...

– E io, – disse Carmela socchiudendo gli occhi – beh, lo ricorderò sempre. Mi sono lanciata, ho sbattuto le ali e... non so se era volare o cos'altro, ma ero in aria e sono arrivata fino al letamaio. È stato bello.

– E non hai più riprovato?

– No.

– Perché?

– Perché se avessi riprovato avrei voluto di più. Volare davvero, volare in alto, come le oche selvatiche, lassù in cielo. E sarei stata triste, perché avrei dovuto riflettere ancora di più sul mio destino di gallina. Io non sono nata per volare. Se volassi, adesso scapperei via, mi vedresti salire in cima all'albero, e poi via tra le nuvole, un puntino bianco che scompare. E addio brodo per Sandrino.

– Già. Cinzia, ti ricordi?, cercò di scappare.

– E perché non doveva farlo, poverina? – disse Carmela. – Non fu un bello spettacolo.

Di nuovo restarono in silenzio. Il cane si avvicinò, capì che la situazione era seria e si allontanò con discrezione.

– Vuoi un altro po' d'uva? – disse zio Giovanni.

– No, non facciamola lunga. Mi raccomando, fai le cose per bene. Non come ha fatto la zia con la collega padovana dell'anno scorso, che correva per tutta l'aia col collo storto. Non sono spettacoli edificanti.

– No, fidati... la zia non ha esperienza. Io invece ne ho... preparate tante di voi.

– Di' pure che ne hai ammazzate.

Zio Giovanni fece una faccia come se dovesse morire lui.

– Uffa, che barba – disse Carmela. – Sempre così. Prima piangete, poi al dolce neanche vi ricordate di noi. È naturale, è la catena alimentare, come dite voi. Del resto, io ho sterminato più lombrichi di uno stormo di cornacchie. Anche cannibale sono stata. Ti ricordi quando morì Elide? E tu, quante galline hai mangiato, zio Giovanni? Hai tenuto il conto? È il destino. Il racconto del mondo è fatto di galline mangiate e galline vive. Le galline mangiate sono cento volte di più delle vive. E così gli uomini morti sono quasi più di quelli vivi. Io non so dove stanno tutte queste galline e questi uomini, ma se questo posto esiste è molto affollato, più di questo prato e di questo mondo...

– Dio, quando sei così filosofa mi fai paura – disse zio Giovanni.

– Io penso. Penso da quando sono uscita dall'uovo. E penso che anche tu zio, presto o tardi, finirai nel pentolone. Io sarò ossicini, tu ossa più grandi. È la mia ora, sette anni è una bella età per una gallina. E soprattutto mi fa piacere aiutare Sandrino. Non mi ha mai tirato pietre, e quando raccoglieva le uova mi carezzava la testa. E una volta ha tirato una gran legnata in una zampa a Germana per farla stare zitta...

– Ma Carmela...

– Sandrino è un bel pulcino... guarirà e verrà su bene, forte e cacciatore, massacrerà pernici e anatre. Allora, ecco le mie ultime volontà. Nella pentola voglio una carota, un sedano e una cipolla dell'orto. E niente salsa, giuralo. Sono già buona di mio. Avanti, procediamo.

– Carmela, non parlare così.

– Dai, zio. Non serve aspettare. È peggio per te e per me. Addio.

Zio Giovanni la prese in braccio, le carezzò un attimo le piume delle ali e le mise una mano intorno al collo, con delicatezza.

Carmela chiuse gli occhi.

Chissà se dopo volo, pensò.

DOTTOR ZERO

Mandali via
Mandali via
Quale orror
Che terror
I rosa elefanti nooo

F. CHURCHILL e O. WALLACE,
Pink Elephants on Parade
(da W. DISNEY, *Dumbo*)

Cosa fa un uomo che conta, quando si sveglia?

Apparentemente, fa quello che fanno gli altri.

Apre gli occhi, si stiracchia, va in bagno, si lava.

Ma già da come si veste capiamo che è un uomo che conta.

Da come sceglie severo camicia e cravatta, da come le sposa insieme e si guarda allo specchio.

Da come ascolta infastidito l'affanno rumoroso del figlio che va a scuola, e le frasi della moglie che richiedono la sua attenzione, naturalmente negata.

L'uomo che conta ha una famiglia, ma non può dedicarle molto tempo.

Sua moglie è bella, facilita le relazioni, arreda la casa e costa meno di un quadro antico.

Suo figlio è di una generazione parassitaria e confusa, deve soltanto ammirarlo e obbedire, così forse un giorno conterà anche lui.

Un uomo che conta ha tempo solo per sé. Perché ha grandi obiettivi, responsabilità, impegni. Un grande destino. E gli altri ne vedono la scia, piccole barche rollanti sulle onde lasciate dalla grande nave.

E quanto conta l'uomo che conta, si capisce dalla prima telefonata. Impartisce ordini precisi e perentori alla sua segretaria. Mostra fastidio per le esitazioni della donna. Ha nella voce l'irritazione ferma e necessaria di chi deve riordinare un mondo caotico, il mondo di quelli che non contano.

Ha già preso gli impegni per la mattinata, tre appuntamenti in due ore.

E ordina un taxi, senza inutili attese al centralino, perché ha un numero speciale con cui quelli che contano chiamano i taxi.

Lo ordina per le *nove* precise.

E quando gli dicono che a casa sua in via Archimede *otto* arriverà Lazio *sette* in *sei* minuti fermamente protesta dicendo che il servizio va peggiorando e ne parlerà con il presidente.

Perché l'uomo che conta (che d'ora in avanti chiameremo dottor Milione) conosce tutti quelli che contano, quindi anche il presidente della cooperativa dei taxi.

Svelto raggiunge l'ascensore e aspetta che il ragioniere, suo vicino di pianerottolo, lo saluti.

Perché un uomo che conta non saluta mai per primo un uomo che non conta, a meno che non ci siano le telecamere.

Entra, accetta di dividere lo stretto spazio col ragioniere, ma quando costui gli chiede con sussiego:

– A pianoterra?

– Certo, dove vuole che vada? – risponde sgarbato.

Saluta brevemente il portinaio che si inchina al suo passare, ed eccolo in strada dove c'è la fila per l'autobus.

E il dottor Milione si mette vicino alla fila, potrebbe quasi sembrare che ne faccia parte. Ma non si mescolerà certo a quei miseri transumanti, che ora si stipano nell'autobus, slogandosi e azzuffandosi. Il volto pallido del guidatore lo osserva. E la porta dell'autobus è ancora aperta.

E l'uomo che conta, appoggiandosi come un ballerino all'ombrello, ha un lieve, ironico sorriso.

"Signor guidatore," sembra dire, "ho la faccia da uno che prende l'autobus nelle ore di punta?"

Poi decide che ha tempo per un caffè.

Imperioso entra nel bar. Ci sono altre persone in fila alla cassa, ma egli si dirige verso il bancone, e si rivolge severamente, quasi militarmente, al barista:

– Un caffè, che ho solo due minuti.

Due vecchiette a cui è passato davanti si voltano a guardarlo. Sono vecchie che non contano, non contavano neanche da giovani. Chinano la testa. La vita ha insegnato loro che dovranno aspettare il loro cappuccino.

Il barista, con servile celerità, gli porge la tazzina con la frase:

– Il solito macchiato, cavaliere.

E il dottor Milione beve, corruga la fronte.

– Non è il solito, Edoardo, è acqua sporca. Stia più attento, la prossima volta.

E lancia una moneta sul bancone. Neanche si volta a contemplare il dolore e la stizza di Edoardo.

Ed eccolo, col cappotto color crema e l'ombrello, ritto sul marciapiede. La fila dell'autobus riprende a gonfiarsi di passeggeri che non contano. La nebbia li rende fiochi, quasi invisibili.

Il dottor Milione consulta l'orologio. Già un minuto di ritardo, questo costerà caro a Lazio *sette*. Il tempo di un uomo importante non è mai abbastanza. Basta un imprevisto, un ingorgo, un guasto all'auto, e saltano affari di miliardi. Sta per mettere mano al cellulare e sollecitare, quando accade davvero l'imprevisto.

Sbucato da chissà dove, prima non c'era adesso c'è, un moccioso di sei-sette anni gli si avvicina.

È davvero uno strano, misero bambino. Infagottato in un cappottino rosa da mercato degli stracci, con un passamontagna che incornicia il viso intirizzito.

Dal naso paonazzo vacilla un moccolone lungo una spanna.

Il bambino è scuretto di pelle e ha degli strani occhi, con la pupilla che sembra restringersi come quella dei gatti. Ma forse è l'effetto del pianto. Sta infatti frignando, lagnosamente e fastidiosamente.

– Dottore, dottore mi aiuti... – geme.

– Vergognati a chiedere l'elemosina, te e i tuoi genitori! Vai a scuola, vai...

– Ma dottore, – replica il mocciosetto – è proprio a scuola che sto andando. E ho un problema.

Tirando su col naso estrae dalla cartella uno scartafaccio unto, un libro di testo, alza verso il dottore il volto moccolato e implora:

– Dottore, mi aiuti, non ho fatto il compito.

– Intanto puliscti il naso, sporcaccione, – risponde il dottor Milione – e poi non ho tempo, aspetto il taxi.

– La prego, la prego. Oggi verrò interrogato in matematica e non ho potuto studiare, ho dovuto aiutare papà a lavorare e...

– Non mi interessa, sparisci – dice l'uomo, e lo scosta punzonandolo con l'ombrello. Se non ci fosse gente, gli darebbe un bel calcione.

– Dottore, – insiste il piccolo importuno – per lei è roba da niente, si vede che sa bene la matematica, che è abituato a contare.

– Certo, ho studiato io – dice il dottor Milione.

– Allora mi dica per favore i multipli di tre, oggi mi interrogano sul tre. Almeno qualcuno: tre per sei, tre per sette... mi aiuta?

– Ma tu sei scemo, nanetto, non ho tempo da perdere. Fuori dai piedi, con quel ridicolo cappotto da bimba...

Il bambino non demorde, addirittura gli si attacca al cappotto, rischiando di spalmare il moccolo sul tessuto di vicugna.

Indignato, il dottor Milione, con un'ombrellata, gli fa cadere lo scartafaccio dalle mani.

Il bambino col cappotto rosa lo raccoglie da terra, poi si prende la testa tra le mani, come colpito da un grande dolore. Scrolla la testa ed emette un rumore strano, un muggito animalesco. E di colpo non si lamenta più. Punta il dito contro il dottore con un'espressione per niente infantile, sembra un piccolo, mostruoso adulto. Con voce cantilenante scandisce:

– Tu, dottore, che alle *nove* in via Archimede *otto* aspetti Lazio *sette* da *sei* minuti mentre doveva arrivare in *cinque* e devi farti in *quattro* perché devi concludere *tre* affari in *due* ore, ebbene, da ora sei *uno* qualunque, e conterai *zero*.

Il dottore vorrebbe replicare, ma il diavoletto rosa sparisce nel nulla e l'auto è arrivata.

Innervosito, sale a bordo e dice subito:
– Due minuti di ritardo, che non succeda più.
La nuca bovina del guidatore risponde:
– Cosa vuole che faccia con questo traffico, ringrazi che sono arrivato.

Il dottor Milione è sorpreso e indignato. Chi è questo cafone che non sa riconoscere uno che conta?

– Guardi, ringrazi che ho fretta. Se no, telefono al suo presidente e mi lamento del servizio.

– Si lamenti pure, tanto siamo in mezzo all'ingorgo...

Il dottor Milione sta per replicare ma strilla il telefono, è la segretaria.

– Il dottor Foschi ha annullato l'appuntamento – gli comunica.

– Ma come si permette, così all'ultimo momento, – esclama il dottor Milione – era fissato da una settimana!

– Non so cosa farci, – dice la segretaria sgarbatamente – vuole che vada a prenderlo a casa?

Ma è proprio la voce della fedele e mite segretaria Elisa, quella che ha sentito al telefono? No, dev'essere Cinzia, una nuova dell'ufficio, la metterà a posto lui.

Nell'ingorgo, perdono altri dieci minuti. Il dottor Milione sbuffa e scalpita. Ma alla fine appare il prestigioso palazzo di vetro, alla cui sommità c'è il suo ufficio.

È in una stradina chiusa al traffico. Con voce ferma ordina all'autista:

– Vada contromano per pochi metri che facciamo prima, conosco il vigile, vada.

– Se lo dice lei...

L'auto procede. Il vigile li blocca.

– Non si può. Tornate indietro...

– Guardi, – dice il dottor Milione – lavoro qui alla Moneymore, sono il direttore generale, scendo in un attimo.

– Lei non scende, – dice il vigile – lei torna indietro o le faccio la multa.

– Ma insomma, sono il direttore, questo è il mio ufficio, conterà pure qualcosa!

– No, lei è uno come gli altri – dice il vigile.

La Nuca parte a marcia indietro e ironico commenta:

– Così lo conosceva, vero?

– Oh, la smetta. Si vede che oggi è nervoso, mi ha sempre fatto passare. Scendo qui, arrivederci.

– Sono undici euro e cinquanta.

– Ma come si permette, paga l'ufficio, abbiamo una convenzione!

– Nessuno mi ha detto niente, deve pagarmi lei.

Il dottor Milione sta per sbottare, telefonare alla segretaria e piantare un casino. Ma da dietro una colonna vede qualcosa di rosa sfilare velocissimo. Sembra il bambino di prima. Allora paga in fretta.

– Le ho detto undici e cinquanta, questi sono undici, non sa contare? – ringhia la Nuca.

Il dottor Milione gli sbatte venti euro in mano e salta giù. Corre verso il portico, ma il lampo rosa è già sparito, nel buio di un sottopassaggio.

E così si rende conto che è precipitato in un incubo.

E che l'incubo è appena cominciato.

Il portinaio non lo riconosce e quasi gli chiede i documenti.

La sua segretaria neanche lo saluta e sta fumando in ufficio.

Non ci sono i giornali sulla scrivania.

Un dirigentuzzo che normalmente striscia quando lo vede, lo urta malamente nel corridoio e neanche si scusa.

L'uomo delle pulizie gli passa la scopa sulle scarpe.

Sembra che un sortilegio si sia impossessato dell'azienda. Tutti quelli che lo incontrano sono sgarbati, nervosi, arroganti.

E l'inquietudine cresce.

Ma ecco il primo appuntamento. Sono due inglesi. Un affare importante. Il saluto è gentile, forse un po' freddo. Il dottor Milione si siede dietro la vasta, vitrea scrivania. Ora si sente di nuovo tranquillo, riavvolto nella prestigiosa corazza di uomo che conta. Inizia, nel suo perfetto inglese, a spiegare, a convincere.

– *Our development... we are the sector's leaders... we have financed... a twenty-year experience... the rate in 2006...*

Ma i due inglesi, uno biondo e uno calvo, sembrano stranamente distratti. Uno sbadiglia. L'altro giocherella con il portacenere, addirittura a un certo punto si infila un dito nel naso. Il telefono suona. È un altro appuntamento saltato. Con la coda dell'occhio, il dottor Milione vede che uno degli inglesi lo indica ridendo e sussurra qualcosa all'altro. Sembra che si burlino di lui. Sente un rumore strano. Guarda fuori dalla finestra, sul tetto del palazzo di fronte... c'è una figurina rosa che salta tra i comignoli. Zompa, cade, si rialza. Possibile che...

– Vedete anche voi qualcosa di strano sul tetto? – chiede ai dottori inglesi.

– Noi non vediamo niente – dice il calvo quasi infastidito.

– Strano. Beh, vorrei continuare la mia *field analysis... our proposal...*

– Please – lo interrompe l'altro. – Ci scusi, ma credo che sia inutile procedere in questo modo. Il suo inglese è un po' incerto, e non sempre la capiamo. Abbiamo preso accordi per telefono col dottor Liardi, il presidente della società. Vorremmo trattare direttamente con lui.

– Ma non è necessario, – balbetta il dottor Milione – non vedo perché... cioè, è ovvio che lui è il presidente, ma per queste cose bisogna parlare con me...

– Dottore, sia gentile – dice deciso l'inglese biondo. – Preferiremmo discutere con il capo.

Se ne vanno, sempre ostentando quel sorrisetto un po' beffardo.

Lo hanno trattato come un impiegato qualsiasi...

Ora il dottor Milione (che non sa più se è Milione) siede in silenzio, guardando la città dal quindicesimo piano, attraverso la vetrata. Tutto era ai suoi piedi fino a un momento fa. E poi? Un pensiero improvviso lo attraversa. Qualcosa è accaduto, da quando è apparso quel bambino. Come aveva detto? *"Da ora sei uno qualunque e conterai zero."*

Sembra proprio che sia così, rimugina il dottor Milione, in meno di un'ora ogni mio fascino e potere sembrano dissolti, spariti, lanciati nello spazio dopo uno spietato countdown. E ora che ci ripenso, come faceva quel bambino a sapere che aspettavo il taxi Lazio sette in sei minuti? E che avevo tre appuntamenti?

Oh, al diavolo, sto diventando matto. Non è possibile.

Devo stare calmo, è solo una giornata storta. Sono ancora il direttore qui, e conto, eccome se conto.

Si apre la porta. Sono due operai, barba lunga, passo ciondolante. Due rumeni, o qualcosa di etnicamente simile.

– Scusa dottore, ma deve traslocare, noi dobbiamo imbiancare.

– Ma neanche per sogno! – esclama il dottor Milione. – Nessuno mi ha avvertito, c'è un errore...

– Dispiace dottore, ma noi abbiamo ordine di sgombrare suo ufficio.

– Voi siete matti. Signorina Elisa, venga subito qui! – urla il dottor Milione.

La segretaria arriva altera e gelida, senza fretta.

– C'è bisogno di urlare? – sibila.

– Certo che urlo! Cos'è questa storia del trasloco?

– Ha appena telefonato il presidente in persona. Iniziamo a ristrutturare gli uffici. Per qualche giorno lei dovrà scendere al primo piano, hanno ricavato un piccolo ufficio vicino ai magazzini...

– Piccolo ufficio, magazzini... ma siamo matti? Io telefono al presidente. Io...

Il dottor Milione si dibatte come un pesce in secca, ma già un operaio gli ha sottratto la sedia, mentre l'altro sta spostando la scrivania. Ed Elisa, la maledetta, si è impossessata del suo ficus.

Una piccola folla, richiamata dal fracasso, si è radunata nel corridoio. Tutti guardano il dottor Milione.

E in nessuno di essi c'è segno di stupore o deferenza. Anzi, un vago atteggiamento di biasimo.

E si fa avanti il geometra Zerillo, il paria dell'azienda, quello che conta meno di tutti. Un topo fradicio incravattato.

Guarda la scena con freddezza e dice:

– Dottore, non la faccia lunga. Bisogna pur cominciare da qualche ufficio, e lei è il primo a cui tocca.

E sogghigna, proprio come gli inglesi.

– Quindi, per favore, – dice la nuova segretaria Cinzia fumando ostentatamente – non dia in escandescenze e ci lasci lavorare.

– Prego, – dice il rumeno – sposti suo culo da lì che devo spostare tappeto.

– A proposito, – aggiunge Elisa – anche il terzo appuntamento è saltato.

Il dottor Milione cerca invano da qualcuno dei presenti un segno di solidarietà. Poi di colpo ha un'intuizione.

– Ah, ho capito... è come *Candid camera*, vero? È uno scherzo ripreso in televisione, vero?

Nessuno risponde. Appare il presidente Liardi in persona, grasso e paonazzo, gli punta un dito contro e dice:

– Dottore, la smetta di fare il cretino... traslochi e zitto, se non vuole restare giù nel magazzino a vita.

Gira la testa, al dottore umiliato e traslocato. E un dolore sconosciuto gli ferma il respiro. Dietro le teste delle persone, saltella un fuoco fatuo rosa. Un fantasma che si sdoppia in tanti piccoli fantasmini color cipria. Al dottore sembra di sentire una canzoncina della sua infanzia:

> *Mandali via*
> *Mandali via*
> *Quale orror*
> *Che terror*
> *I rosa elefanti nooo*

Il dolore si fa lancinante. E tutto diventa nero.

Quando si sveglia, il dottor Zero, poiché così ormai possiamo chiamarlo, è in un lungo corridoio bianco. Lo hanno mollato lì, su una lettiga. Guarda il soffitto, dove ronzano dei tremolanti neon. Annusa il puzzo di medicinali e afrori malaticci. Solleva la testa e comprende che si trova in un ospedale. Davanti a lui, altre due barelle. Da un lenzuolo spunta la mummia di un vecchio color cenere. Più avanti una donna grassa si lamenta, mentre il marito le tiene la mano.

Sui sedili a lato, altri poveracci che aspettano. Una madre, con in braccio una bimba con la testa fasciata. Due tossici, lei che regge la testa di lui. Un muratore, con una mano insanguinata. Un ometto giallo come un tuorlo, che scatarra sonoramente.

Un infermiere grosso, baffuto, urla qualcosa al tossico che ha appena vomitato sul pavimento. Da un ambulatorio esce una lettiga con un corpo coperto dal lenzuolo. Uno in meno.

L'infermiere si avvicina, lento e assente.

– Scusi, – chiede il dottor Zero – dove sono?

– Dove dovrebbe essere? – risponde l'infermiere. – È al pronto soccorso.

La voce è neutra, nessuna deferenza, ma in quel momento, pensa il dottor Zero, almeno qualcuno gli dà retta.

– E cosa mi è successo?

– Non si ricorda? Beh, l'hanno scaricata qui come un pacco e se ne sono andati. Ha avuto un problema di cuore. Il medico l'ha già visitata, lei era svenuto. Adesso dobbiamo farle un elettrocardiogramma.

– E quando me lo farete?

– Cominciamo con la fretta? Una ventina di minuti, forse più. E non mi dica che conosce questo e quello e vuol passare avanti. Lei è di priorità due, e qua ci sono delle priorità tre e quattro.

– No no, non conosco nessuno – dice il dottor Zero con un filo di voce. – Aspetterò... ci sono molte persone davanti a me?

– Adesso c'è il vecchio con l'ictus, poi la grassona con la colica. Poi... cazzo, ma vuoi andare nel cesso?!

Il tossico aveva vomitato di nuovo, disegnando un Van Gogh giallo e bruno sul linoleum. La grassona stava per vomitare di rimando. Intanto era entrato un energumeno urlante, in mezzo a due carabinieri.

– È una gran brutta mattina – dice l'infermiere.

– Vedo – dice il dottor Zero.

– E poi tutti vogliono passare avanti, ognuno ha i suoi motivi. La signora, ad esempio, mi dice che fa le pulizie dal primario di angiologia. Il tossico lo butterei in strada, ma è figlio del vicequestore. E quel muratore lì, quell'albanese... beh, lavora qua dentro in nero, bisogna trattarlo bene. Praticamente, qui solo io e lei non contiamo nulla.

– Già – dice il dottor Zero.

Qualcosa passò rapido sul soffitto, un riflesso, un ragno dalle zampe rosa.

Il cuore del dottor Zero sobbalzò, ed ebbe paura. Voleva chiamare l'infermiere, ma la voce non usciva. E nessuno era al suo fianco, nessuno si occupava di lui. Capì d'un tratto cosa voleva dire non contare nulla, vivere invisibili e in fila, aspettare per ore e giorni una visita medica, un documento, un esame. Stiparsi negli autobus e nei treni. Essere uno zero tra gli zeri. Sputar sangue per avere una briciola di diritti, di dignità, lottare ogni giorno. Come aveva potuto non accorgersi di questo abisso, spalancato a un passo da lui? Il diavoletto rosa lo aveva punito, rendendolo uno di quelli che aveva sempre disprezzato.

Ma non si poteva vivere così. E il dottor Zero pianse, facendo cigolare la lettiga, e implorò perdono. Giurò a se stesso che se usciva vivo da quell'ospedale avrebbe cambiato la sua esistenza. Avrebbe apprezzato i suoi privilegi, senza arroganza, e avrebbe aiutato chi non li aveva, non avrebbe mai più scavalcato nessuno nella fila, non avrebbe più angariato i sottoposti, e le cose su cui aveva sempre contato non sarebbero più state le stesse...

– Scusi – sentì dire, e una mano lo scrollò.

Era la donna con la bambina in braccio.

– Mi vergogno a chiederlo, siamo tutti in difficoltà, ma mia figlia ha preso un brutto colpo in testa, è caduta dalle scale. Sono preoccupata, vorrei che la visitassero subito...

– Capisco, ma io...

– Lei è davanti a noi, è il numero due, io il tre, se scambiamo il numero potrei... andare dentro prima io...

Il dottor Zero guardò la bambina.

Aveva un cappotto rosa. Era bionda e caruccia, non assomigliava al diabolico nano, ma si lamentava con la stessa voce querula.

– Va bene, – disse il dottor Zero – passi pure.

– Grazie – disse la signora.

Il dottor Zero chiuse gli occhi. La testa ronzava. Si sentiva svenire. Si vide, come in un sogno, cadere dal quindicesimo piano dell'ufficio. Tutti ridevano. E non precipitava giù nel magazzino, no, ma in uno squallido cimitero, loculi tutti uguali a perdita d'occhio. E davanti a lui c'era una lapide:

QUI GIACE IL DOTTOR ZERO.
NON CONTAVA NULLA.

Calde lacrime gli rigarono il volto dirigenziale. La fine, la fine. Ma ecco, all'improvviso, una voce preoccupata. Un volto noto era chino su di lui.

– Dottore, dottore, mi riconosce? Sono Costa, il primario del reparto...

– Ah sì... come sta?

– Come sta lei, piuttosto. Chi l'ha messa qui? Infermieri! Talete, Giovanna, venite! Precedenza assoluta. Come fate a lasciare uno così in mezzo al corridoio? Presto, all'elettrocardiogramma!

La barella si mise a correre a zigzag come un bob.

– Roba da matti – sentì dire al primario. – Ma lo sapete chi è questo? È quello che ci ha fatto avere il finanziamento per i nuovi lavori, dieci miliardi ci ha sganciato. Chiami Pasutti, il cardiologo, e la dottoressa Nalini, e l'angiologo, e...

Un attimo dopo, il dottor Milione era circondato da dodici medici scattanti. Il suo cuore tracciava geroglifici su uno schermo.

Il primario con un sorriso disse:

– Un collasso, ma il cuore è integro. Un mesetto di riposo e lei tornerà come nuovo. Ci conti...

Il dottor Milione naturalmente cambiò vita.

La prima settimana fu gentile con tutti.

Aiutò il figlio a fare i compiti, diede retta alla moglie, le comprò un microonde e un ocelot.

Fece la spesa con relativa fila al supermarket.

Al bar non passò più davanti a nessuno.

Nel condominio salutava per primo e tutti erano stupiti dalla sua cortesia.

Tornò in ufficio, si complimentò per l'ottima imbiancatura e gentilmente pregò Elisa di preparargli il calendario dei futuri impegni.

Le regalò un cactus messicano.

Si fermò a parlare di calcio con Zerillo.

Prese addirittura un autobus e firmò un appello per le foche groenlandesi.

Ma ahimè.

La seconda settimana già sbuffava con moglie e figlio.

Andò a far la spesa al supermarket, ma alla cassa cercò di passare avanti e litigò.

Prese un autobus e scese alla prima fermata perché gli sembrava che tutti puzzassero.

Angariò Elisa e ricominciò a torturarla.

E per quanto si sforzasse, proprio non riusciva a salutare quelli del condominio, anzi grugniva loro in faccia.

Il dottor Milione non era davvero cambiato.

Tre settimane dopo aveva già dimenticato il dolore sofferto, le umiliazioni e il giuramento.

Così fanno gli uomini che contano, ma forse anche gli altri.

Fece una telefonata all'ingegnere lamentandosi del tassista cafone.

Licenziò Elisa dopo dieci anni di onesto lavoro.

Spedì Zerillo alla filiale di Dortmund.

Quando gli inglesi tornarono, li fece aspettare due ore in anticamera, parlò in italiano e non concesse loro il finanziamento.

Scrisse al presidente una lettera anonima in cui forniva le prove che la moglie lo tradiva con un primario di cardiologia.

Tanto fece e tanto brigò che riuscì anche a far trasferire il vigile.

E al bar si divertiva a bere il cappuccino delle vecchiette, come fosse suo.

Infine, comprò un ombrello con un pesante manico di metallo, e se si fosse riavvicinato il bambino dal cappotto rosa gli avrebbe rotto la testa.

Ma non era più come prima.

Ogni tanto, si svegliava di notte.

E nella testa gli si agitavano numeri misteriosi, in fila, in serie, in successione. Elefanti rosa, con un numero sulla pancia.

Allora si alzava dal letto e contava le cravatte nell'armadio, e le giacche, e consultava i suoi documenti, il danaro di cui poteva disporre e che poteva togliere e concedere, cifre immense.

E questo lo calmava un po'.

Ma subito la sarabanda di numeri ricominciava.

Perché, nella sua misera anima, qualcosa di nascosto e pauroso si era risvegliato.

E un'eco misteriosa ripeteva quella minacciosa matematica, quei numeri senza sosta e senza corpo.

Finché una notte si svegliò sudato, ansante.

I numeri, ora lo vedeva bene, avevano un senso.

E così si accorse che stava contando gli istanti che mancavano alla sua morte.

LEZIONE SOTTO IL MARE

Chiamatemi Mascella Storta...

M. Benedicktus, *Il diavolo zoppo*

A un miglio di profondità, nell'Oceano Pacifico, nella fossa di Buenas Umbras, era in corso uno strano assembramento di balene.

Un capodoglio enorme, più di venti metri, pinneggiava in surplace.

Almeno una ventina di giovani balenottere gli stavano di fronte, in fila per quattro.

Qual era il mistero di questo anomalo branco?

Nessun mistero: era una scuola, il capodoglio era il maestro e le venti balenottere le allieve.

La lezione si teneva in ultrasuoni e il titolo era: *Capolavori della letteratura cetacea*.

– Care scolare, – disse il maestro – parleremo oggi di quello che è ritenuto il libro più importante della nostra storia. E cioè *Il diavolo zoppo*. Voi lo conoscete bene, vero?

Le balenottere annuirono scodando, senza molta convinzione.

– Come sapete, il libro è stato scritto nell'anno dei sette iceberg, da un capodoglio albino di nome Mobius Benedicktus. Egli fu perseguitato tutta la vita da un baleniere al quale, in leale duello marino, aveva staccato una gamba. Ovviamente a provocare, come sempre, era stato l'umano. Ma costui, gonfio d'odio, si mise a perseguitare Mobius per tutti gli oceani... Qualcuno sa come si chiamava questo baleniere?

– Crab? – suggerì una balenottera rotonda.

– No – sospirò il maestro.

– Calab... no, anzi, Ahab – disse una balenotta tigrata.

– Brava Rigutina, così suona il suo nome nella lingua degli uomini. Ebbene, il racconto di Mobius Benedicktus inseguito da Ahab, le sue riflessioni sulla morte e sulla caducità dell'esistenza, le avventure e i colpi di scena, fino al tragico finale, fanno di questo libro un capolavoro pelagico che non può mancare nell'archivio ultrasonico di nessuna balena... Ora, sapete dirmi come gli umani chiamavano Mobius Benedicktus, il nostro niveo, grande scrittore? Tu, Pinnamozza, là in fondo, mi stai ascoltando o fai merenda di meduse? Sai rispondere?

– Ehm... ecco...

– Cosa stavo dicendo?

– Dunque... parlava di iceberg... e di un marinaio con un occhio solo.

– Uffa, Pinnamozza, come al solito non sei stata attenta... e io so perché... La tua membrana sta ascoltando un altro ultrasuono... dimmi cos'è.

– Ma veramente, signor maestro...

– Dimmelo!

– Stavo ascoltando *Ventimila baci sotto il mare*, ovvero la storia di Balenonzolo e Balenadia, una bella storia d'amore...

– E tu, Pinnablù?

– Io... stavo ascoltando una raccolta di barzellette sui trichechi.

– E tu, Codaforata?

– Io ascoltavo musica, i Killerwhales, un gruppo heavy-ocean molto tosto... Vuol sentire anche lei?

Il maestro sospirò con grandi bolle, poi disse:

– Va bene, intervallo, tutte in superficie.

E mentre le balenottere gioiose correvano verso l'aria per schizzarsi e giocare, pensava:

– Che senso ha ancora studiare Mobius Benedicktus? È sempre più difficile far leggere queste giovani bestie. E soprattutto, ne vale la pena?

Poi emerse, e guardando un'isola lontana pensò: che solitaria fatica insegnare i classici! Chissà se gli umani stanno meglio...

UNA SOLUZIONE CIVILE

> Quando l'eroina potrà farsi pubblicità, sarà svanita l'ultima differenza con la televisione.
>
> HECTOR REYES, narcotrafficante

La grande piazza si sta riempiendo, e dietro le finestre chiuse il Duce dei moderati ascolta quel rumore di passi speranzosi e aneli, immagina le migliaia di sguardi che si raccolgono nel mosaico di un volto, l'unico personaggio della Storia che non invecchia mai, la folla. Quella moltitudine è il suo sangue e il suo vampiro. Un rumore di mare lontano che attende la salvifica nave, l'apparire della prua che fenderà i flutti dell'incerto futuro.

Ma nel buio della vasta sala, mentre si guarda allo specchio e abbottona con gesti lenti la giacca nera e oro, il Duce non è felice.

Ogni ruga del suo volto è una battaglia, una vittoria o una sconfitta, un inno di esultanza, un muto ritirarsi. E anche se ora è trionfante, sa bene che la bilancia del destino oscilla al minimo fiato della Storia, non serve mettere sul piatto oro, discorsi e spade, prima o poi la piuma di un evento imponderabile potrà rovesciare le sorti, farla pendere contro di lui, rimandarlo nel mondo oscuro dei vinti, dei dimenticati.

Eppure molti sudditi fidati sono nella stanza, pronti a combattere al suo fianco, e anche se vi fosse un traditore non lo spaventerebbe. Chi conosce il potere sa che né una sola persona, né un milione di fucili, decide gli eventi. Neanche quella folla radunata là fuori, pronta in un attimo a cambiare d'umore e di passioni. Qualcosa d'altro muove i destini. Qualcosa a cui potrai dare un nome soltanto secoli dopo, nell'apparente quiete della Storia, ma neanche allora riuscirai a spiegarlo, e non ti insegnerà nulla. Un virus, una parola fatale, una pallottola, una battaglia, uno sguardo di donna, o un orribile massacro, un mostro inatteso e oscuro che ribalterà tiranni e democrazie con lo stesso indifferente sorriso. Si troverà mai una difesa, una cura?

Davanti a lui sta il generale Maganza, il freddo, abile Maganza. Lui sembra non dubitare mai. O se dubita non lo fa vedere, ha sempre una pistola nascosta, non fidatevi delle sue mani nude. Come ora, mentre trae dalla borsa un pacco di documenti, e li posa sul tavolo, davanti allo sguardo sospeso dei presenti.

– Abbiamo la soluzione – dice con calma.

Fuori il brusio della folla si acquieta, come se anche loro volessero ascoltare. Qualcuno accende il grande lampadario, e sono ora visibili, seduti o in piedi, i più alti esponenti del paese.

Sono pronti ad ascoltare il generale Maganza, ministro degli Interni, numero due del governo. Il suo soprannome è Turbo Maganza, per come spazza via ogni disordine. Il viso è severo, ha solo un lieve tic che gli scuote la mandibola, ricordo di una bomba esplosa troppo vicino.

– Come prevedevamo, i sondaggi per le prossime elezioni (alludo ai sondaggi veri) non ci sono favorevoli. Non ci è servito né il piano di informazione subliminale, né il falso attentato alla Nazionale di calcio. Ormai da anni, nel nostro paese la Storia si ripete. Vince uno schieramento, poi la gente ne è delusa, a volte senza un vero motivo, senza saper spiegare cosa si aspettava. Per noia, per irrimediabile istinto alla sfiducia, per abitudine al lamento e al guaito. Così il pigro elettore premia un nuovo schieramento che poi disprezzerà e punirà dopo pochi anni. Nuovamente riappariranno gli stereotipi, i luoghi comuni, le barzellette e le conversazioni da treno, e risorgeranno le caduche indignazioni cavalcando le quali l'opposizione, seppur di poco, prevarrà. Ben sapendo che presto anche lei dovrà scendere dalla giostra, e di nuovo tutto ruoterà, in un colorato nulla di chiacchiere e nell'onanismo di nuovi sondaggi.
Inutilmente cerchiamo di sedurre gli elettori, i telespettatori, i sostenitori, i consumatori, tutti i nomi, insomma, con cui abbiamo cancellato il vecchio, ridicolo termine di "cittadini".
Li abbiamo abituati alla corruzione, all'ingiustizia, alla mediocrità, ma si sono vendicati: si sono abituati anche al disprezzo. E qualsiasi nuovo tribuno può aizzare e moltiplicare la loro malevolenza.
Sì, noi politici siamo disprezzati, e siamo stanchi di esserlo. Lei, Duce dei moderati, ha già proposto diverse volte di non votare più. Ma i politologi le hanno spiegato perché ciò sarebbe deleterio. In

primo luogo, il clima elettorale sfoga e spurga odio e veleni, restituisce una parvenza di senso ai nostri discorsi e, almeno per poche settimane, la politica torna sopportabile alla gente. In secondo luogo, il mondo ha bisogno della maschera dell'urna, come di un elmo ligneo. Ogni stato estero sottolineerebbe la sua presunta superiorità democratica. Ci rimprovererebbero e condannerebbero anche paesi le cui elezioni sono una ignobile farsa. In terzo e ultimo luogo, senza voto anche il nostro schieramento crollerebbe: non può fare a meno di questo conato, di questa sordida palingenesi, della necessaria sfida fratricida fatta di vendette tra correnti, siluramenti e ricatti.

Non si possono quindi eliminare le odiose, prevedibili decrepite elezioni. Ma si può fare qualcosa per dare loro nuova vita? Ebbene sì! Non rassegniamoci. Possiamo trasformarle. Possiamo far sì che la gente ci ami ancora!

Mi accorgo di aver suscitato il vostro interesse. Bene, dallo studio dei nostri esperti, condensato in queste pagine, è risultato che esiste una soluzione, una sola che potrebbe salvarci, e restituire alla politica il ruolo di arbitro necessario e stimato.

È qualcosa che il nostro paese ha già conosciuto: una guerra civile.

Vedo qualcuno sorridere, qualcuno stralunare gli occhi, qualcuno guardarmi imbarazzato. Ma non temete. Quella bomba mi scoppiò vicino alla testa, ma non dentro. Mi spiegherò meglio. Quello che ci serve non è una guerra civile nata dal caos degli eventi, dallo scontro smodato di bisogni e ideologie, dal disordine e dall'anarchia. Parlo di una guerra civile civilmente organizzata, pianificata, controllata, e soprattutto sceneggiata con i migliori mezzi della tecnologia e dell'informazione. Una guerra civile potrei dire 'di centro', se questa parola non vi ricorda troppo la balistica.

Leggete i rapporti degli esperti e vi renderete conto perché questa idea, a prima vista insensata, sia in realtà razionale e desiderabile non solo per noi ma anche per l'opposizione, che ha infatti accettato di collaborare alla stesura del progetto.

Vi spiego ora, signori, come avviare e gestire questa operazione.

Si inizierà con l'assassinio di un importante rappresentante del governo da parte di un gruppo terrorista. Questo gruppo terrorista, naturalmente da noi controllato, sarà formato da persone ampiamente rappresentative di ciò che viene attualmente odiato dai moderati del nostro paese. Uno straniero mediorientale, un anarchico, una donna ciarliera e radicale, un omosessuale non stilista e uno a scelta tra un ecologista filo-zanzare, un lavavetri e un ex partigiano. Stiamo lavorando per un cocktail odiosamente perfetto.

L'attentato sarà ripreso dalle televisioni e mostrato a reti unificate per ore e giorni. I dibattiti partiranno appena dieci minuti dopo la notizia. Il gruppo terrorista, sulla cui verità o virtualità non mi dilungo, verrà eliminato in un conflitto a fuoco. Ne diffonderemo le foto, la storia, l'infame progetto. Subito ci saranno le reazioni dall'una e dall'altra parte. Prevediamo il rapido insorgere di un clima rovente, cui aggiungeremo subito un bel po' di fuoco.

Infatti la mattina dopo accadranno una serie di eventi preparati con cura:

1. L'arresto di venticinque esponenti dell'opposizione con l'accusa di essere complici nell'attentato, e la morte di uno di essi in carcere.

2. L'irruzione nelle maggiori Università e licei, e forse scuole elementari, da parte dei corpi speciali comandati dal generale Momotti, uomo particolarmente odiato e dal passato repellente. Durante questo raid verranno uccisi dai venti ai duecento studenti.

3. L'esplosione di una o più bombe nella metropolitana.

4. Top secret, per ora.

In questo clima di reciproche accuse, verranno indette da governo e opposizione grandi manifestazioni in ogni grande città, con un cordone di sicurezza di poliziotti che non reggerà. Contiamo su una serie di fruttiferi incidenti. Una ventina di agenti, scelti tra i più inefficienti, verranno uccisi. Non possiamo prevedere quante saranno le vittime degli scontri, ma sappiamo che a quel punto la guerra civile potrà dirsi felicemente iniziata.

Entrerà in azione l'esercito con blindati, ma attenzione, guai a dare l'idea di un colpo di stato, o di uno strapotere militare. Il nostro esercito verrà subito attaccato da finti e veri ribelli, che riporteranno vistosi successi iniziali, impadronendosi di armi e mezzi.

A questo punto, numerosi cecchini bipartisan, appostati in città e paesi, cominceranno a sparare alla cieca. L'opposizione si impegna fin da adesso a garantire un clima di garbata rivolta.

A questo punto, dovremo solo gestire mediaticamente ogni istante di questo, chiamiamolo così, reality show. Abbiamo già contatti con alcuni giornali e televisioni che si sono detti pronti a questo immane sforzo di documentazione. Un apposito centro di controllo bipartisan veglierà giorno e notte sull'andamento del conflitto. Attenzione! Esso non deve mai sfuggirci di mano, non può tramutarsi in una scaramuccia farsesca, né nel massacro rapido e indifferenziato degli oppositori, né in una loro possibile vittoria.

E sempre, in ogni momento, da noi verranno appelli alla riappacificazione, alla tregua, alla mediazione. Nessuno di noi dovrà essere troppo implicato. Parlare, dibattere, ma lasciar sparare gli altri. Non lasciamoci prendere dall'entusiasmo.

Calcoliamo che tutto questo debba durare tre mesi, con il prezzo di un milione di morti.

Un prezzo necessario, se vogliamo convincere la gente della serietà e della veridicità dei fatti. Dopodiché fermeremo tutto e andremo sì a nuove elezioni, ma in un clima diverso, in cui sia noi sia l'opposizione sembreremo finalmente difensori della pace, della democrazia e di una ristabilita, preziosa normalità.

Vedo nei vostri occhi qualche ombra di dubbio. È naturale. Le nuove idee, le riforme hanno bisogno di tempo per essere accettate. Forse qualcuno di voi teme per la fragile economia del paese. Ma non temete, c'è chi vi convincerà...

Si alzò il ministro dell'Economia Monsonbello, giovane e brillante manager, detto Lord Brummel per la sua eleganza o anche il Conte Bianco per l'esuberante propensione verso cocaina e derivati. Vestiva un gessato sartoriale e aveva come tic un lieve risucchiar di naso.

– Signori, i maggiori imprenditori del paese hanno valutato la soluzione proposta e si sono trovati consenzienti. I benefici di questa guerra civile non sono evidenti a prima vista, ma sono molti e sicuri. Anzitutto per il mercato delle armi, che tutti correranno a incrementare. La maggior fabbrica del paese è pronta a immettere sul mercato seicentomila auto corazzate e mezzi blindati per chiunque possa permetterseli. Abbiamo un accordo con americani e cinesi perché non invadano il mercato, il settanta per cento delle armi usate saranno di produzione nazionale. Sto personalmente seguendo la preparazione di un kit di armi da fuoco in varie versioni, da quello da barricata urbana a quello condominiale, a quello per uso famiglia. Ci saranno offerte e rateizzazioni.

Durante la guerra civile sarà necessaria una politica dei prezzi adeguata, in previsione di grandi accaparramenti di cibo e generi di sopravvivenza, che spingeranno in alto la spirale dei consumi. Contiamo su un boom dei surgelati, dei medicinali, dei film a noleggio, della vendita di giornali e soprattutto degli ascolti televisi-

vi. Prevediamo anche un forte aumento del gettito pubblicitario, perché la pubblicità non sprecherà certo questa occasione. Parole come 'guerra', 'pericolo', 'rischio' permetteranno spot nuovi ed eccitanti per profumi, merendine e abiti.

Gli stilisti sono pronti a creare nuove collezioni eleganti e allo stesso tempo adatte ai combattimenti urbani e in campo aperto. La moda autunno-inverno sarà mimetica, ginnica, virilmente femminile.

Il turismo non verrà danneggiato. Sarà nostra cura tenere lontana la guerra dai percorsi privilegiati delle città d'arte e delle località di villeggiatura. Verranno creati sicuri belvedere, piazzole, alberghi blindati da cui assistere agli scontri. Sarà chiaro a tutti che è possibile visitare il nostro paese non soltanto per goderne le bellezze artistiche e paesaggistiche, ma anche per vivere un evento storico di forte impato emozionale.

Per finire, imprenditori nostrani e di altri paesi sono pronti a investire forti capitali nella ricostruzione. A tal proposito auspichiamo una serie di bombardamenti non devastanti, ma di buon impatto ambientale. Non vorrei sembrare tecnicistico, ma direi che questa guerra civile mi sembra un ottimo long-range investment. Ovviamente, bisognerà che la gente la tema e la apprezzi ogni giorno. Passo perciò la parola al ministro dell'Informazione e della Propaganda.

Scodinzolando leggermente, come animato da una sigla musicale, si alzò il ministro della Propaganda, Carroga. Ingentiliva la divisa nera con una cravatta di perline rosa, e aveva come tic un battere d'occhi a ritmo di telecomando. Parlò con grandi, enfatici gesti.

– Sapremo gestire questo spettacolo unico con tecniche moderne. Il tempo del bianco e nero lamentoso, dei deprimenti documentari sui lager e del neorealismo pezzente è finito. Migliaia di telecamere saranno disposte in punti strategici per riprendere battaglie ed eventi in parte spontanei, in parte diretti e sceneggiati. Abbiamo già in lavorazione due grandi serial, *Il capitano Raul* e *Rick il ribelle*, cinquanta puntate cadauno. Li faremo interagire con la realtà garantendo per quanto possibile l'incolumità degli attori.

Ogni sera su tutte le televisioni ci saranno dibattiti e speciali, grandi comici hanno già accettato di intervenire per alleggerire l'atmosfera qualora divenisse troppo pesante. C'è anche l'idea di montare schermi giganti in città e in zone ove la guerra proceda stentatamente.

Provvederemo inoltre a diffondere, mediante altoparlanti, un'adeguata colonna sonora nei luoghi di combattimento, e vi assicuro che i concerti per le truppe saranno a livello di quelli americani. Siamo già in contatto con Mtv per un *Peace for Italy* in diciotto paesi.

Per finire, la domanda che vi sta a cuore, e che leggo nei vostri occhi inquieti. *Ebbene, non sarà necessario sospendere il campionato di calcio!* Le partite avranno regolarmente luogo, e in esse potrà avere libero sfogo l'esplosiva, elettrizzante miscela tra tifo e ideologia. La maggior parte dello spettacolo avverrà fuori dagli stadi e sugli spalti, ma potrebbe anche contagiare il campo da gioco. Non ci auguriamo scene da Colosseo, ma se anche accadesse che una dozzina di giocatori e arbitri siano assassinati in campo, questo non farà che rendere unico lo spettacolo. Credo che il format *Civil War* verrà venduto almeno a cento televisioni in tutto il mondo. E gli sponsor stanno già fremendo, dai carri armati alle fabbriche di protesi, alle acque minerali. Ma vedo qualche volto un po' preoccupato. E se la situazione degenerasse? Non temete, tutto è sceneggiato nei minimi termini, non ci saranno imprevisti. Passo la parola al rappresentante dell'opposizione.

Il leader dell'opposizione Velluto si alzò lentamente e si asciugò la fronte con un fazzoletto, per mostrare quanto soffriva quel momento. Un tic gli sporgeva il collo in varie direzioni, e la voce era fioca quando iniziò a parlare.

– Anche voi vi rendete conto, onorevoli colleghi, della responsabilità che ci prendiamo aderendo a questo progetto. La nostra etica ci ha sempre spinto verso obiettivi di pace, legalità e concordia civile. Ma anche noi siamo stanchi di questa ingovernabilità a lungo termine, dell'alternanza dei risultati, del continuo sabotaggio interno da parte delle nostre fronde radicali, della immeritata sfiducia nella nostra diversità. Collaboreremo lealmente, sia rendendo edotti degli eventi i nostri militanti più fedeli, sia lasciando, in un'ottica democratica, che i nostri militanti più facinorosi e massimalisti partecipino liberamente alla guerra. Del resto, per noi è giunta l'ora di liberarci dei fantasmi del passato: allora vincemmo, ma non si può sempre prevalere. Ma attenti a voi, colleghi del governo! Nessuno approfitti della situazione. Si combatta per il bene del paese, e non per fini personali o di partito. Se tenterete di interrompere la guerra civile in un momento a voi propagandisticamente favorevole, o se cercherete di usarla per eliminarci, ebbene sapremo reagire in parlamento e in piazza. Vi smascheremo. Se non sarà una guerra civile regolare, siamo pronti alla guerra civile. Ma capisco che non è questo il momento di sottolineare dubbi e differenze. Cedo quindi la parola al cardinale De Ior, che saprà sicuramente pronunciare parole unificanti e di pace.

Il cardinale De Ior, detto la Borsa di Dio per la sua abilità nell'amministrare il patrimonio ecclesiastico, sembrò destarsi di colpo dal sonno, o da una concentrata preghiera. Non si alzò, parlò seduto col suo caratteristico tic, cioè con le mani giunte e inestricabili, chi diceva per l'artrosi, chi per le stigmate, oppure, come sostenevano i maligni, per non perdere neanche uno spicciolo. Sussurrò, con voce carezzevole:

– La Chiesa ha lungamente meditato, prima di prendere questa decisione. Siamo infatti contro ogni tipo di guerra. Il Santo Padre non ha dormito e mangiato per ventiquattr'ore, tanto grande è stato il suo tormento. Ma il violento clima di intimidazione contro i nostri cardinali, il dilagare del relativismo etico, la mancanza di ideali nella gioventù, la crescente invadenza omosessuale, l'accusa indiscriminata di pedofilia, il dilagare della teologia della liberazione e dei preti disobbedienti, e altre cose che potete trovare nel mio libro che uscirà il mese prossimo, tutto questo, insomma, ci ha convinto. Una catarsi è necessaria. Come la Bibbia insegna, non c'è fede senza guerra, non c'è arca senza diluvio, non c'è Abele senza Caino. Ma noi avremo un ruolo nostro, particolare e insostituibile. Parteciperemo invitando la gente alla preghiera e non appoggeremo nessuna delle due parti, anche se potremo a volte sottolineare come alcune idee peccaminose e relativiste possano facilmente portare a morte violenta e prematura. Contiamo che questo periodo di caducità della vita riporti la gente ad apprezzare i valori ultraterreni. Non ci auguriamo le fucilazioni, ma un nostro cappellano sarà sempre presente. Il Santo Padre è pronto a visitare ospedali e trincee, previa selezione dei benedicendi.
Come ultima cosa, vi prego di non esagerare con i morti. La cifra di un milione ci spaventa. Saremmo lieti se potesse scendere a settecentomila. Amen.

Si levò un timido applauso, subito spento con lo sguardo dal generale Maganza. Si aspettava, ovviamente, la reazione del Duce. E dopo un breve istante il suo leggendario sorriso illuminò la sala.

– Signori, – disse il Duce – vi ringrazio. Abbiamo trovato qualcosa che farà veramente il bene della nazione.

L'applauso fu scrosciante, intenso, affettuoso. Tutti si davano pacche sulle spalle. Anche il rappresentante dell'opposizione, pur schermendosi, partecipava dell'allegria generale. Monsonbello offrì un tiro a Sua Eminenza, che rifiutò garbatamente.

– E ora – disse il generale Maganza – la seduta è sciolta, andate. Dobbiamo mettere a punto gli ultimi particolari. Il Duce tra poco si affaccerà al balcone. Bisognerà che niente sembri anormale, fino all'inizio delle operazioni.

Tutti lasciarono la sala con eccitati commenti.

– Una grande idea, complimenti al suo staff – disse il Duce, mentre si faceva truccare e pettinare. – Ma adesso che siamo soli, caro ministro, ho alcune domande da farle.

– A sua disposizione – disse Maganza, con un accenno di sbatter di tacchi.

– Questo leader del governo che verrà ucciso dai falsi terroristi bisognerà sceglierlo bene. Mica uno qualsiasi. E presumo che costui non sia informato del necessario sacrificio.

– Proprio così – disse Maganza.

– Sta pensando anche lei al nome che penso io? – disse il Duce con un sorriso maligno. C'era nello schieramento uno che gli stava proprio sul gozzo.

– È meglio non far circolare nessuna voce, – gli sussurrò in un orecchio Maganza – potrebbe insospettirsi.

– Già, già – disse il Duce, dandosi un'ultima occhiata allo specchio.

La folla rumoreggiava, inquieta.

Insieme, i due si avvicinarono alla finestra. Il Duce si fermò pensieroso.

– Un'ultima domanda – disse. – Quando pensiamo di dare inizio all'operazione?

– Subito – disse il generale, spalancando la finestra.

– Subito? – disse il Duce.

Ma non ebbe il tempo di riflettere né di mostrare sorpresa. Il proiettile partito dalla piazza lo centrò in fronte. Crollò all'in-dietro.

L'ultima cosa che udì fu il boato della folla, e la voce di Ma-ganza che gridava: – Hanno sparato al Duce!

L'ultima cosa che vide fu una selva di piedi che lo circondava-no e, sopra di lui, una telecamera che lo riprendeva.

L'ultima cosa che pensò fu: la politica è proprio una roba sporca.

IL CONTROLLORE

Mi sa che lassù qualcuno mi ama...

KURT VONNEGUT, *Le sirene di Titano*

Immaginate una sala circolare, duecento volte più ampia del più vasto palasport che abbiate mai visto.

In questa sala c'è uno schermo grande duecento volte uno schermo cinematografico terrestre.

Sullo schermo ci sono miliardi di lucine multicolori che si accendono, si spengono, si muovono, pulsano, fibrillano, si sdoppiano e si sovrappongono.

Ai piedi dello schermo c'è qualcosa che potremmo chiamare un mixer, o consolle, o plancia di controllo, con un numero di cursori, tasti e indicatori duecento volte più numerosi del mixer della rockstar più megalomane.

Il controllore di questo mixer è una creatura per descrivere la quale occorrerebbe duecento volte le pagine necessarie a descrivere la creatura più strana dell'Universo.

Vi basti sapere che si chiama Bah-Gay.

Si apre la porta della sala ed entra una creatura molto simile a quella indescrivibile, ma più piccola, diciamo duecento tonnellate in meno.

Si chiama Bah-Gayen.

– Ciao, babbo – dice.

– Come va, piccolo? Tutto bene a scuola?

– Abbiamo studiato le comete. Mi fai giocare un po' col tuo Controllo?

– Caro figlio mio. Questo è un gioco assai serio. Su questo schermo puoi vedere il destino di miliardi di creature che noi monitoriamo, istante per istante, su un pianeta lontano.

Bah-Gayen osserva incantato lo schermo, ove è raffigurata una mappa della nostra Terra, continenti e oceani. Bah-Gayen non sa cos'è, noi sì.

– E cosa sono quelle lucine?

– È lungo da spiegare, ma proverò a farlo in modo semplice. Le lucine sono biogrammi, ognuna corrisponde a una creatura. Le lucine che si spengono sono creature che lasciano il gioco. Quelle rosa e azzurre che si accendono sono creature che entrano nel gioco. Bisogna controllare che tutto sia equilibrato e costante. Quelle luci pulsanti vogliono dire che in quel punto c'è un accumulo critico, muoiono molte creature tutte insieme. Le luci blu vogliono dire guerra, le verdi epidemia, le gialle calamità naturale.

– Quelle rosse fitte fitte?

– Quello è un weekend in autostrada, l'evento più catastrofico da controllare. Poi ci sono luci che migrano da una zona all'altra. Luci raccolte in stadi, concerti e lager.

– E le luci più piccole?

– Quelle sono bioplancton, creature che costituiscono il cibo delle creature dominanti. In alcuni punti sono tante, in altri poche, non è facile bilanciarle. Vedi? Qua ci sono solo poche foke, e là milioni di konigli.

– E tu sei bravo a controllare tutto, vero babbo?

– Beh, lo faccio solo da duemila anni. Non è tanto tempo, ma una certa esperienza ce l'ho.

– Dai, fammi giocare, ti prego.

– Va bene, ma solo un momento.

– Posso spegnere qualche lucina?

– Attento a toccare i pulsanti giusti, però. Vediamo, facciamo qualcosa che non sia pericoloso. Ecco, vedi queste lucine bianche? Si chiamano pekore. In effetti in questa zona ci sono troppe pekore e c'è uno squilibrio.

– Posso eliminarle?

– Attento, però. Ecco, premi il pulsante "epidemia". Poi il contatore di eliminazione, su fino a centomila. Poi col circoletto vai sulla zona... bravo, adesso abbassa la levetta. Fatto!

– Che bello, papà, ancora, ancora!

– No, Bah-Gayen, bisogna stare attenti con questo gioco...

– Va bene, papà. Ma cosa sono quelle lucine che si spengono così in fretta?

– Aspetta che guardo sul manuale. Ecco. Si chiamano peh-sci.

– E le zone di diverso colore?

– Quella è la temperatura. Le zone più calde sono gialle, le zone fredde sono bianche.

– E come funziona?

– Vedi quella leva? È la leva che controlla una piccola stella di tipo spettrale G2, una nana gialla chiamata S-Ole. Lei regola le temperature e i cicli vitali del pianeta. Adesso il suo calore è 466 baht. Noi controlliamo le tempeste magnetiche, la qualità delle emissioni e la densità degli strati atmosferici e insomma, anche se le creature si fanno del male in tutti i modi, riusciamo a mandare avanti il gioco...

– Che bello, papà.

In quel momento suonò il Bahfono e Bah-Gay mosse una delle sue quattrocento braccia per rispondere.

– Ciao, Bah-Kurt. Qui tutto bene, grazie. Ah, davvero? L'ho sempre detto, quella galassia era nata male, il programmatore doveva essere ubriaco, non mi meraviglia che sia implosa. Dici che ci saranno problemi per gli equilibri periferici? Io controllo un minuscolo sistema con biopresenze nel settore 234. Dici che posso stare tranquillo? Va bene, tutt'al più se prevedi dei rimbalzi cronosinclastici avvertimi... Ma che cosa sta succedendo qui?

Un segnale d'allarme straziante, duecento volte più intenso di ogni ambulanza terrestre, risuonava nella sala, e lo schermo era diventato un brulichio di luci rosse.

– Cosa hai fatto, figlio?! – gridò Bah-Gay.

– Niente, papà. Ho pensato che non è giusto che alcune delle creature lontane stiano al freddo. Allora ho avvicinato un po' la nana gialla S-Ole e ho alzato la temperatura.

– A quanto?

– Niente papà, solo un poco. Un migliaio di baht.

Babbo Bah-Gay si mise a smanettare leve e pulsanti a tutto andare, lo schermo friggeva e le luci si spegnevano a raffica.

Alla fine la temperatura tornò normale. Ma non c'era più nessuna lucina accesa. Neanche i peh-sci. Lessati.

E sullo schermo apparve la scritta "Bah-ha".

Che sarebbe come "game over".

– Meriteresti duecentomila schiaffi – disse il padre, alzando una selva di mani.

– Papà scusami, non volevo – piagnucolò Bah-Gayen. – Perdonami, ma sono figlio tuo, ho la vocazione genetica a fare il controllore.

– Va bene, va bene – disse il papà intenerito. – Ma non farlo mai più.

– E adesso che si fa?

– Niente, – sospirò Bah-Gay – diamo la colpa a loro. Tanto, prima o poi...

Spense l'interruttore generale, lo schermo si oscurò, e lentamente strisciarono fuori dalla sala.

LA STREGA

Avevo otto anni quando capii chi ero.

Un mattino di primavera, in gita scolastica con le mie compagne.

Giungemmo in un prato pieno di sole, ai piedi di una montagna. Tutte si misero a giocare, io restai in disparte, stordita, dalla luce e dallo spazio. E vidi, lontano, un albero. Un grande noce frondoso. Era l'unico albero nel mare d'erba, sembrava il relitto di un naufragio.

Mi avvicinai e vidi che aveva i rami contorti, come per un secolare dolore, e sul tronco c'erano nodi e cavità, ognuna mi sembrò una bocca spalancata in un grido. Sotto la sua ombra, l'erba era secca.

Le foglie erano agitate e scosse da un vento inspiegabile, perché tutto intorno l'aria era di una calma assoluta. E tra i rami non si udiva alcun canto di uccello, anche se il cielo era pieno di voli.

Appena entrata nell'ombra, sentii il gelo. E mi parve che i rami iniziassero a muoversi come braccia, a circondarmi.

Una voce venne da una delle bocche del tronco.

– Il mondo non ti amerà, sorella – diceva.

Non avevo paura, ero stordita. E i rami continuavano a sfiorarmi la faccia, come per carezzarmi, ma le loro dita erano secche e appuntite, e una mi ferì la guancia.

La maestra arrivò e mi portò via, di corsa. Sembrava spaventata e tremava.

– Mai più, Berenice, mai più ti devi avvicinare a quell'albero. Capito, sciocca bambina?

Mi misi a piangere. Non mi aveva mai rimproverato con tanta durezza.

Tornata a casa, raccontai tutto a mia madre.

Lei mi ascoltò senza guardarmi negli occhi, poi disse:

– Figlia mia. La maestra ha avuto paura perché eri sotto la sua responsabilità. Non è successo nulla di strano.

Ma le sue parole non mi convinsero.

La sera accesi il computer e cercai notizie del luogo della gita. E dopo un poco il mistero si chiarì.

Capii perché i gatti mi venivano vicino, ovunque io fossi.

Perché mi fermavo a contare i sassolini e i granelli di sale.

Perché l'odore dell'aglio mi faceva star male.

Perché mia madre, solo con uno sguardo, faceva zittire le persone.

Perché sognavo sempre di volare.

Perché ero così solitaria.

Perché, come dicevano le mie amiche, un giorno sembravo brutta e l'altro bellissima.

Sul computer era scritto:

In mezzo al prato del monte di N. sta il noce delle streghe, uno degli alberi più vecchi del nostro paese. Secondo una leggenda, sotto quell'albero le streghe si trovavano per i loro riti sabbatici.

Nell'anno 1428, undici donne del borgo di N. scomparvero in una sola notte. Della loro sparizione fu accusato il cardinale dell'Inquisizione Cramerius, che con i suoi sgherri le avrebbe sorprese sotto il noce, massacrate, e sepolte sul posto...

Entrai in camera di mia madre. Non parlai, lei sapeva leggere i miei pensieri. Mi abbracciò e disse:

– Questo è il nostro segreto da molte generazioni. Tu Berenice, io Lucrezia, zia Morgana la civetta, nonna Raffaella l'incantaserpi, e la tua bisnonna Eufrasia dei veleni. È un segreto da non divulgare a nessuno. Neanche il tuo povero padre ne era al corrente. Preparati a nasconderti e a resistere, figlia mia. I roghi sono ancora accesi. È una vita dura.

E non volle raccontarmi altro.

Andai in camera mia molto turbata. Nella penombra vidi arrivare Ambrosia, la mia gatta nera. Socchiuse gli occhi e disse:

– È una vita dura. Ma ha i suoi vantaggi.

E rise, mostrando allegra i canini.

La scoperta per metà mi spaventò e per metà mi inorgoglì. Ma soprattutto mi rese perplessa. Ero una strega, e allora?

Non avevo chiaro cosa questo comportasse. Dovevo preparare filtri magici, volare su una scopa, ballare sotto la luna? Mia madre mi rassicurò. Dovevo imparare a cucinare, andare a scuola in bicicletta, e suonare la chitarra. Tutto normale.

Ma presto capii che non era facile.

Quando avevo circa quattordici anni, ogni notte di luna piena le finestre si spalancavano di colpo, e mi sembrava che una voce mi chiamasse. A volte una voce bassa e roca d'uomo, a volte voci sussurranti di donne. Mi attiravano libri assai diversi da quelli scolastici. E soprattutto, come se avessero intuito qualcosa, le mie compagne di scuola presero a deridermi per il mio aspetto. Vestivo infatti di nero e un po' trasandata, avevo il quaranta di piede, e non portavo scarpine col tacco, ma scarponcini neri sformati.

Già da allora mi accorsi che potevo essere brutta e insignificante, e in un attimo accendermi di una bellezza improvvisa, selvatica. Ma temevo questa mia trasformazione, e preferivo sembrare una vampiretta pallida.

Specialmente una mia compagna di scuola, Cinzia detta Cindy, era accanita nei miei confronti.

Era piccola e graziosa, con gli occhi azzurri, beniamina di tutti gli insegnanti. Indossava sempre magliette con angeli, panda, colombe e altre creature salutari. Ma era perfida e maldicente, per tutte aveva un maligno giudizio: la sua amica del cuore Giuly era un po' troietta, Filippa un po' lesbica, Betty povera in canna, Rosalinda scema e pacchiana. E io probabilmente ero drogata, e portavo sfortuna.

Una volta la sentii dire:

– Quella menagramo di Berenice mi ha sfiorato nei corridoi, pensate, e ho preso l'unico sette meno del quadrimestre.

Pochi giorni dopo, durante l'intervallo, ero seduta in un angolo a leggere un libro di Lovecraft, non proprio programma scolastico. Passò Lillo, un ragazzo atletico e tonto.

Subito Cindy e Giuly si misero a ridacchiare e a roteare le capigliature. Lillo si fermò davanti a loro. In quel momento mi venne da starnutire.

Lillo si accorse che lo stavo guardando e per qualche motivo sembrò spaventato e se ne andò.

Cindy mi fronteggiò con aria di sfida, il bel musetto contratto in una smorfia.

– Hai fatto apposta a farlo scappare, lo so.

– Ma Cindy... l'ho solo guardato...

– Credi che Lillo possa interessarsi a una bruttarella come te? Guai a te se ci riprovi, streghetta invidiosa.

Era la prima volta che qualcuno mi chiamava strega. Decisi di non rispondere agli insulti, anche se Cindy insisteva e si era creato un capannello. Non lasciarti provocare, dicevo dentro di me, è solo una ragazzina sciocca. Ma mi cadde lo sguardo sul suo zainetto. Era decorato di frasi sdolcinate *sempreinsieme* e *mimanchitù*, cuoricini e stelline d'oro, e soprattutto da ogni lato pendevano grappoli di pupazzetti, orsetti, coniglietti, lepruncoli, dainetti, sorcioli, porcellucci e alciuzze. Mancava solo una piccola iena.

E continuava a strepitarmi contro, e gli animaletti ballonzolavano sullo zaino, quasi a darle ragione.

Allora puntai un dito, come in trance.

Uno degli orsetti sembrò animarsi, dondolò e le colpì un orecchio.

Lei lo scostò con la mano.

Un panduccio e una volpetta le morsero la mano.

Un istante dopo, tutto lo zoo dello zaino si scatenò, e uno sciame di bestioline furenti le si precipitò addosso pizzicandola, facendole il solletico, mordendola.

Cindy gridava, gesticolava e chiedeva aiuto.

Ma solo io e lei vedevamo questa scena. Nessun altro capiva il suo comportamento, e quel suo strano dimenarsi.

Alla fine, nel tentativo di liberarsi di un coniglietto mannaro che le si era aggrappato a un labbro, si colpì il naso e il sangue colò fuori.

– Ma Cindy, sei pazza? – disse Giuly, e in tre o quattro la fermarono.

– Lei, – disse indicandomi – lei è... lei è una strega... ha trasformato i miei animaletti in belve...

– Cindy cara, – dissi con voce tranquilla – tu studi troppo.

A sera la mamma mi rimproverò.

– Non usare mai i tuoi poteri, – disse – è l'unico modo per non farti scoprire.

– Ma mamma, – dissi – l'ho fatto quasi senza rendermene conto.

– Nessun inquisitore accetterebbe la tua risposta – disse lei.

– L'Inquisizione non esiste più.

– I roghi sono sempre accesi, Berenice.

Non sapevo con chi essere arrabbiata. Con Cindy, con la mamma, con me stessa? Appena in camera chiesi ad Ambrosia:

– Che altri poteri ho?

– Ad esempio, se mi gratti sotto il mento per dieci minuti posso trasformarmi in quello che vuoi.

– Tipo?

– Oh, non so. Una torta di fragole. Oppure Johnny Depp.

La grattai con entusiasmo.

Dopo dieci minuti chiesi:

– Allora?

– Allora non fidarti mai dei gatti parlanti, – disse Ambrosia – direbbero qualsiasi bugia per una bella grattata.

E scappò sotto il letto.

Stetti buona e tranquilla per un po'. Anche perché avevo notato fuori dalla scuola uno strano uomo. Era tutto vestito di nero e portava un cappello a tesa larga, di foggia antiquata. Sottobraccio, reggeva un grosso libro di pelle marrone.

Mi sembrava che, quando uscivo insieme alle altre, lui guardasse proprio me.

Ma forse era solo un maniaco qualsiasi.

Oltre a Cindy avevo un'altra nemica. La Serini, professoressa di italiano, una bigotta razzista, gentile con le bambine ricche e sprezzante con i figli di immigrati.

Mi sequestrava i libri di Poe e Lovecraft dicendo che non era letteratura. Teneva prediche interminabili sui limiti dell'arte, che è sottomessa alla fede, al buonsenso e alla decenza. La letteratura per lei era fatta di scrittori religiosi e virtuosi. Lo stesso Dante nell'*Inferno* aveva esagerato. La letteratura moderna era un coacervo di blasfemia. Lewis Carroll bruciava all'Inferno con De Sade e Pascoli.

Ovviamente mi odiava. Ogni mio tema era "fuori tema", oppure "inutilmente polemico", oppure "zeppo di idee banali e di anticonformismo d'accatto".

I miei voti oscillavano tra il cinque e il sei perché, in fondo alla sua animaccia candida, capiva che non scrivevo male.

Ma decise di preparare un piccolo rogo per me.

A pochi giorni dagli scrutini, disse che l'indomani mi avrebbe interrogato, e avrebbe deciso la mia sorte in base a questa prova.

Tre volte la rinviò, per il sadico piacere di logorarmi.

Poi al quarto giorno disse:

– Berenice, vieni pure a deliziarci con le tue stramberie.

Mi avviai a testa bassa. A scanso di tentazioni tenevo le mani dietro la schiena.

– Ti farò una sola domanda, ma attenta a come rispondi. Non ce ne sarà una seconda!

– Sissignora – dissi con aria mite e pecorile.

Alzò un braccio con grande enfasi e disse:

– In questa stanza tu vedi appeso al muro un crocifisso. Esponi un piccolo tema ad alta voce: *Il crocifisso, unica via di salvezza per tutti gli uomini.* Cosa rispondi ai malvagi e agli infedeli che vorrebbero toglierlo o sostituirlo con simboli idolatri?

– Ehm... – dissi, inghiottendo.

– E non tenere le mani dietro la schiena. Non sei sul patibolo.

La guardai. La riconobbi, seicento anni dopo. Suor Serina delle Beate Forbicine, braccio destro del cardinale Cramerius, terrore di tutte le sorelle streghe. Quasi senza volere, il mio dito si alzò contro il suo viso. Ebbi l'impressione che le sue mascelle si serrassero di scatto, e gli occhi le si spalancarono dal terrore. Respirava rumorosamente dal naso.

Non poteva aprire la bocca né parlare.

E così iniziai:

– Il crocifisso in quest'aula è il simbolo di un culto assai diffuso nel nostro paese. Pur sapendo che molte persone di buon cuore praticano questa fede, non posso non rilevare che in nome delle grandi religioni monoteiste sono stati commessi alcuni tra i più grandi crimini della storia. Inoltre, è costume degli intolleranti chiamare malvagio, infedele e idolatra chiunque non appartenga al loro credo. Quindi questo crocifisso non è la salvezza per tutti gli uomini e donne della Terra, ma tutt'al più è di conforto a una parte di loro. Mentre in ogni paese e deserto e montagna e isola e bosco altri dèi buoni o malvagi vengono adorati, appesi ai muri e portati in processione e in battaglia. È d'accordo con me?

Dalla sua bocca uscì un mugolio indistinto. Cercò di alzarsi dalla sedia.

Le puntai nuovamente il dito contro.

– Capisco che le mie tesi la affascinano. Se è d'accordo, faccia sì con la testa.

Lei annuì, terrorizzata.

– Grazie dell'incoraggiamento. Perciò a coloro che vorrebbero togliere questo crocifisso rispondo che mi sembrerebbe un'inutile intolleranza, pur essendo noi (o essendo stati) uno stato laico. Ma al muro appenderei anche una maschera di Krokopiluk, dell'isola di Tuhamuktu, dio della pesca e del sesso sicuro. E forse anche il drago Huang-Tze, protettore dei bocciati in matematica. E ci metterei Loki, simpatico dio del Walhalla. E il dio eschimese Hut, metà uomo, metà foca. E vicino alla lavagna vedrei bene un totem pellerossa assai decorativo. Ne conviene?

Essa annuì, ansando.

– Ma soprattutto metterei vicino al crocifisso, cioè al ricordo di un brutto momento della vita del Nazareno, qualcosa d'altro. Ad esempio un quadro, o una miracolosa foto che ritrae Gesù con Maria e Giuseppe al mare, in costumino, con un gelato in mano. A ricordare gli istanti felici che ci sono stati nella vita di questo profeta, e che spettano e sono augurabili a tutti i bambini. Se mi dà otto batta la matita sul tavolo due volte.

E così lei fece.

Quando tornai a casa, mia madre aveva la faccia scura. Ma poi si mise a ridere.

– Che sia l'ultima volta – disse.

E Ambrosia fece dodici salti mortali uno dopo l'altro.

L'anno dopo mia madre morì. Non cadde dalla scopa. Un sabba di cellule, da cui neanche le streghe sono esenti. La notte della sua fine mi chiamò in camera sua.

– Berenice mia, – disse – ti lascio con un avvertimento. È tuo destino incontrare il diavolo e legarti a lui. Attenta a riconoscerlo. Per riconoscerlo dovrai...

Ma un'ombra scura passò nella stanza, e non finì la frase.

Al funerale, per la prima volta vidi le sorelle. Erano venute da ogni parte. Giovani e vecchie, spavalde e claudicanti. Tutte mi guardarono e mi fecero coraggio. Notai con sorpresa che c'era anche l'uomo nero della scuola. Era ingrassato, e una sciarpa gli nascondeva il volto. Finita la cremazione, cercò di avvicinarsi a me. Ma non ci riuscì. Una vecchia con gli occhi gialli da gatto si frappose tra me e lui. Le bastò uno sguardo, l'uomo in nero se ne andò precipitosamente.

Volevo ringraziare la vecchia signora ma quella, con un cenno di saluto, era già lontana, come se volasse.

Quando tornai a casa, Ambrosia non c'era più.

Dopo un periodo assai triste, la vita riprese. Lavoravo in un'erboristeria. Mamma mi aveva insegnato i segreti delle erbe, delle tisane, dei decotti. Non vendevo filtri d'amore, ma maschere al ce-

triolo e creme anticellulite. Ero comunque sempre nel ramo ac-
chiappamento e seduzione.

Io continuavo a pensare alle sue parole. "È tuo destino incontrare il diavolo." Come e quando? Aspettavo un segno, normale o
stregato.

Ero già donna. Avevo turbamenti e desideri, ma ero molto cau-
ta con gli uomini. Li attraevo e li allontanavo allo stesso tempo. Ho
già detto che potevo apparire insignificante o molto bella, ero diversa ogni giorno. Come molti fiori, contenevo profumo e veleno.
Una volta baciai un ragazzo e lui impallidì, mi disse che avevo le
labbra fredde. Non lo rividi più.

Finché a vent'anni, una notte, mi svegliai. Sudavo, come presa
dalla febbre. Il mio corpo era diventato leggerissimo e sembrava
volare via, la pelle aveva brividi di piacere e paura insieme.

Riapparve Ambrosia, la mia gatta nera.

Era sospesa nell'aria e aveva un vezzoso collarino di perle. Ma
le unghie erano lunghe e aguzze e gli occhi rossi come rubini.

– L'ora è arrivata, Berenice – disse. – Domani guarda sul
muro.

La mattina capii di cosa aveva parlato. Proprio davanti a casa
mia avevano affisso un gigantesco cartellone pubblicitario.

In città arrivava un gruppo rock assai conosciuto, i Pazuzu. Il
loro cantante era un bellissimo giovane diavolo, Kobal, adorato dalle ragazzine e odiato dai genitori. Sempre vestito di pelle di serpente, scheletrico e con lunghi capelli scuri che gli coprivano metà
del viso. Si diceva avesse gli occhi senza iride. Il suo primo disco,
Una stagione all'inferno, aveva venduto due milioni di copie.

Sul suo conto correvano nere leggende, e più di una volta era
stato denunciato per i suoi atteggiamenti e i suoi testi. Una sua canzone diceva:

> *Zumme farlanda papero*
> *Papero zuruck halifax*
> *Olovaid li è yensid*
> *Obmud obmud obmud*

Ascoltandone alcune parti alla rovescia, si sosteneva la tesi su
chi fosse veramente il demonio.

Quella sera feci la fila alla biglietteria, anche se per poco tempo. Forse perché davanti a me parecchi svennero misteriosamente.

Entrai nel teatro, finti pipistrelli a pila volavano ovunque e sul palco ardevano migliaia di candele laser. Un po' pacchiano, ma mi piaceva. Io ero vestita con un mantello e un cappello a punta. Ma c'erano ragazzi vampiri e ragazze satanasse, nottoloni e saturnie, borchie, piercing e infernali pallori. Sì, mi piaceva l'ambiente.

Il concerto iniziò, sullo schermo scorrevano immagini di Rasputin e Capitan Uncino. Non male. Poi entrò Kobal, saltando come un ragno sulle lunghe gambe, e si mise a ruggire. Le ragazzine andarono in deliquio. Mostravano i polsi e la gola, gridavano "mordimi". Sì, c'era qualcosa di satanico in quel ragazzo. Cantò tutti i suoi pezzi più famosi, da *Sei sei sei tu sei* a *Sabbasamba*, a *Oleron rap*.

Terminò il concerto sputando sangue sul pubblico, mentre il batterista dava fuoco al rullante e il bassista mangiava le corde della chitarra.

Finito il concerto, lo attesi fuori dal camerino. Con me c'erano pipistrelline in fregola e vampiretti in ghingheri.

Il camerino era guardato a vista da due mostruosi orchi palestrati e tatuati.

– Vorrei entrare – dissi.

– Ah sì?– risero gli orchi. – Tutte vogliono entrare.

– Ma io sono speciale – gli dissi, e puntai il dito.

Il drago che aveva tatuato sul braccio si animò e si mise a volare lungo il corridoio.

Tutti scapparono terrorizzati.

Una cosa sono gli effetti speciali al cinema, un'altra un vero fantasma.

Quando entrai, Kobal era su un divano, tra due pallidone seminude, sorseggiando un infernale succo di frutta. I suoi occhi senza pupilla mi fissarono.

Mi tolsi il mantello. I miei capelli iniziarono a fluttuare nell'aria. Avevo gli occhi di un meraviglioso violetto fosforescente, e il mio seno passò dalla seconda alla quarta. Quando voglio, so come piacere.

Kobal capì subito che ero una creatura interessante. Congedò le due pallidone e mi sfiorò il viso con le lunghissime unghie laccate.

– Andiamo – disse.

Salimmo su una limousine, naturalmente nera. L'interno era

pieno di gigli bianchi, e il frigobar era una bara. Consumammo champagne ghiacciato e nere olive.

– Neanche immagini dove ti sto per portare – disse lui con voce bassa.

Anche se ero strega, un brivido mi corse per la schiena. Era forse lui il diavolo che mi avrebbe introdotto nel mondo dell'eros e del sabba? Per tutto il viaggio non mi sfiorò. Ma sentivo i suoi occhi di belva su di me.

La limousine si fermò. Nel buio, prendemmo un ascensore.

Percorremmo un lungo corridoio con una moquette di velluto rosso. E fummo davanti a una porta nera con la scritta 666.

La aprimmo.

Eravamo in una suite del più lussuoso albergo della città. Almeno dieci stanze, specchi, divani e cristallerie, vasca jacuzzi con petali di rosa, chilometri di moquette color pesca.

Lussuoso ma mica tanto satanico.

Kobal si mise davanti allo specchio.

E si trasformò.

Ero pronta a tutto, ma non a quello che vidi.

Si tolse le unghie finte, l'extension della parrucca, le lenti a contatto, i tacchi, la dentiera coi canini, si struccò ed ecco davanti a me un ragazzotto dall'aria agreste e sfottente.

– Allora gnocchetta, vuoi ancora un po' di champagne? – disse con accento che, più che degli inferi, sembrava originario di una valle vicina.

– No grazie, non sono abituata a bere – risposi. – Ma sei un po' diverso da come appari sul palco. Ti chiami davvero Kobal?

– Mi chiamo Luigi, ma chiamami pure Gigio.

– Se vuoi...

– Ho subito visto che eri un tipino speciale, – disse allungando le mani – quello che ci vuole per rilassarmi. Sai che palle 'sti concerti tutti uguali.

– Senti, – dissi scostandogli le zampe – prima dovrei capire chi sei. Chi ti scrive quei testi?

– I testi? Oh, un gruppo di professori universitari. Esperti di stregoneria e cose simili. Io ci metto solo la voce. Mi hanno scelto con un provino, mille ce n'erano, ma nessuno ruggiva come me... hai paura, gnocchetta?

– Da morire – sospirai.

Ingoiò un pillolone e starnutì.

– Maledetti fumi, sono allergico. E quel cazzo di sangue finto.

Sai, è un mondo duro, gnocchetta. Devi sempre combattere per tenere le posizioni. Sai che sono terzo nella hit? E presto farò un concerto di beneficenza insieme a Madonna...

– Fantastico – dissi io.

– E adesso spogliati. Ti metto su della musica?

Lo guardai con un sorriso.

– No, suono io. Passami la chitarra. Conosci gli accordi del diavolo?

– Ne ho sentito parlare.

– Beh, nel Medioevo se usavi un tritono, o intervallo di quarta aumentata, nello scrivere musica sacra, potevi essere scomunicato. Ecco, senti questo accordo.

Toccai la chitarra. Suonai un *Do diesiræ*, accordo conosciuto da pochi.

La suite volò in aria come per un tornado. Si frantumarono le finestre, i divani volarono in strada, il letto si spaccò in mille schegge, la moquette sembrava stracciata dagli artigli di un mostro.

Kobal rantolava a terra, con le mani sulle orecchie.

– Se non ti piace la mia musica potevi dirlo prima – dissi, e uscii.

Il giorno dopo, il finto diavoletto era ugualmente riuscito a farsi pubblicità:

Dopo il trucco del drago volante nei camerini, Kobal stupisce nuovamente i suoi fan e sfida i suoi critici. Misterioso poltergeist all'Hotel Hilton, completamente distrutta la suite della rockstar.

"A volte non riesco a controllare i miei poteri," ha dichiarato il leader dei Pazuzu.

Capii quel giorno che non sarebbe stato facile incontrare il diavolo. Perché il diavolo ama travestirsi, ma c'è anche chi ama travestirsi da diavolo.

Continuai nelle mie ricerche.

Provai ad associarmi alla nota setta satanica di Blackology, con sede nelle maggiori città mondiali. Ma nel modulo di iscrizione c'era una clausola che mi impegnava a versare metà dei miei averi alla setta. Era sempre meglio che vendere l'anima, ma lasciai perdere.

Mi decisi a visitare il bar Satan, dove si radunavano poeti e scrittori per declamare i loro versi in onore delle divinità del buio. Quella sera però si assegnava il premio Grimilde per la poesia più diabolica. Il primo premio era una crociera per due persone a Ibiza.

Andai alla discoteca Pipistrix. Mi annoiai a morte, mi toccarono ovunque e mi rubarono il mantello.

Poi lessi un annuncio su un giornale.

Stasera dibattito
IL REGNO DEL MALE
partecipano
il cardinale Jakob Caraffa
Giorgio Falcon, pilota militare
Coordina il giornalista Antonio Vendifumo

Entrai. C'era tanta bella gente, non sembrava proprio il posto dove poter fare esperienze sataniche.

Ma quando il dibattito cominciò, capii.

Vendifumo intervistò il giovane pilota, reduce da missioni di guerra.

Era un ragazzo dal volto mite. Disse che la guerra era dura, ma bisognava fare il proprio dovere. Lui non aveva mai visto nessuno morire. Gli davano un target e lui vedeva solo una piccola esplosione su radar. Tutto qui. – Se proibiamo la guerra, – disse – allora dobbiamo proibire anche i videogiochi.

Un moderato applauso salutò la simpatica battuta.

Poi parlò il cardinale Jakob Caraffa.

Anche lui disse che la guerra e la violenza sono una brutta cosa, ma bisogna difendere la fede dai suoi nemici: – Quindi è necessario combattere l'infedele, sia esso uno stato, o un eretico, o una donna posseduta. È scritto: *Exurge Domine et judica causam tuam.*

Anche se indossava abiti moderni, lo riconobbi: era il vecchio bruciastreghe, l'inquisitore Cramerius. E in quello stesso istante, in una terra lontana dove gli inquisitori erano tornati in massa, un uomo simile a lui usava le stesse parole contro di noi.

Poi Vendifumo spiegò la differenza tra stati canaglia e stati virtuosi, tra bombe preventive e bombe distruttive e tra civiltà e barbarie.

– Adesso – disse – farò un gioco. Io vi dirò il nome di un popolo e voi dovrete rispondermi se è buono o cattivo alzando le palette che vi abbiamo dato all'entrata.

– Sì, sì – dissero tutti, eccitati.

– Cominciamo. Gli hittiti?

163

Si alzarono le palette.

– I visigoti?

Si alzarono le palette.

– Gli afghani?...

Si rialzarono le palette.

Allora uscii.

Un gattone randagio, con un occhio solo e la coda mozza, camminava nella notte con aria da vecchio viveur.

– Scusi, signore, – gli chiesi – cos'è oggi il diavolo?

– Il diavolo – rispose lui – è la paura. Numeri, statistiche, sondaggi, immagini. Croccantini di paura, tre scatole al giorno. E poiché solo la paura tiene insieme voi umani, il diavolo è la vostra ragione di vivere e il vostro futuro.

– E il vecchio caprone?

– Liquidato – disse il gatto. – Un piccolo calo a Wall Street fa più paura di mille diavoli. Anzi, mi hanno detto che l'Inferno è per metà della Microsoft.

Rise a zanne spalancate e sparì con un balzo.

Camminai, la sera era nebbiosa. Mi sentivo un po' delusa, ma sollevata. Non avrei mai conosciuto di persona il vecchio satanasso.

Non mi aspettavo ciò che accadde.

L'uomo nero mi balzò davanti, gigantesco. Era lui. Quello che avevo già visto alla scuola, e al funerale, e mi stava davanti.

– Io conosco il tuo segreto – disse con voce rauca.

Tremavo. Pensavo che tutto fosse finito, e invece eccolo lì, davanti a me, che mi fissava con infinita bramosia.

– Conosci il mio nome? – incalzò.

– Tu hai tanti nomi, o mio principe – dissi con un filo di voce.

L'uomo nero sembrò perplesso. Poi disse:

– In effetti in passato ho usato qualche pseudonimo. Ma oggi mi chiamo Luca Zaccheri, e come forse sai sono un noto giornalista e scrittore, nonché il più grande esperto mondiale in stregoneria. Conosci certamente il mio best seller *Il codicillo di Belzebù*, trecentomila copie in tre mesi, e la mia trasmissione televisiva, *Ora nera*. Ebbene, io ti seguo e ti studio da tempo, questo libro è pieno di appunti sulla storia della tua famiglia. Tu discendi da una celebre stirpe di streghe, quasi interamente sterminata nel Quattrocento. Non puoi più restare nascosta. Mi piacerebbe intervistarti e portarti in studio. Potremmo magari fingere che tu abbia dei poteri, creare un mistero, e sfruttare la storia del passato per creare un nuovo caso: *Berenice la strega del Duemila*. Che ne dici?

– Interessante – dissi.

– Inoltre tu sei... non bellissima, ma assai intrigante. Nella mia trasmissione avrei bisogno di una presenza femminile, magari con un trucco adeguato, una parrucca...

– Insomma, – dissi con uno sguardo ammaliante – a te piacerebbe sapere tutto di me, conoscere ogni mio segreto, seguire ogni mio passo, far parte, diciamo così, della mia vita...

– Sarebbe bello – disse Zaccheri.

Fu accontentato. Infatti ora ho un nuovo gatto, nero e grasso, di nome Zak. Passa ore e ore a guardare la televisione, con uno sguardo di rimpianto. Mangia croccantini, ma non sembra gradirli troppo. Si abituerà.

Non ho conosciuto il diavolo, ma ho già conosciuto un elettricista, un bancario biondo e un giocatore di pallavolo.

Non erano male, ma si può fare di più.

Se venite nella mia erboristeria, ragazzi, ho una pozione magica che può aiutarvi.

L'INDOVINA

L'indovina Amalia, famosa cartomante, accolse il cliente nel suo studio.

Sul tavolo c'erano una statuetta egizia, il gatto nero Pippo, tre pacchetti di sigarette e un mazzo di tarocchi.

– Tagli il mazzo – disse Amalia, con voce baritonale.

Il cliente eseguì.

La cartomante Amalia estrasse tre carte e le scoprì lentamente davanti a sé.

– La prima carta dice che nel marzo di quest'anno ci saranno spaventosi attentati a Londra, Parigi e Roma e un ordigno atomico verrà lanciato su Washington.

L'uomo deglutì.

– La seconda carta dice che la reazione degli Stati Uniti provocherà la Terza guerra mondiale con due miliardi di morti nel quadro di una catastrofe climatica che sommergerà due terzi delle terre emerse.

L'uomo si grattò la testa.

– La terza carta dice che la donna a cui sta pensando la ama ancora e tornerà da lei.

– Grazie, grazie – disse l'uomo quasi con le lacrime agli occhi.

Pagò, uscì e quando fu in strada, la gente, gli alberi, il cielo, tutto gli sembrava più bello e luminoso.

IL PRESEPE VIVENTE

Ci sono paesi il cui nome è legato a una grande battaglia, altri a una qualità di tartufo, paesi che diventano famosi perché hanno dato i natali a un poeta, a un attore, a un mafioso. Ci sono paesi noti per un eremo o un carnevale, un vino o una faida, ci sono paesi che ricordiamo perché ci hanno lanciato l'atomica, o per un delitto efferato, o per una torta tipica, o perché c'è l'uscita di un'autostrada.

Da sempre il mio paesello, pur se diviso tra bestemmiatori e devoti, è famoso per il suo presepe vivente.

Di tutti, il più bizzarro che ricordo è quello del Natale di vent'anni fa.

Un anno esatto prima del tremoto, quando nevicò un metro e una settimana, e il camionista Morgante uscì di strada sul ghiaccio fermandosi sull'orlo del precipizio, come mostra l'ex voto affisso alla Casa del Popolo. Come già ho detto, mettere in scena la Natività è sempre stato nostro onore e vanto, soprattutto per la rivalità con gli altri paesi presepiatori della valle. Il comitato del presepe era allora composto da don Carambola, addetto alla conformità storica e religiosa della rappresentazione, nonché dal sindaco Penna, responsabile dell'esecuzione e della sicurezza, e per finire dalla sarta Luciana, scenografa e costumista. Ahimè, tutti e tre scomparsi, e mai sostituiti nel nostro cuore. Quell'anno volevamo fare le cose in grande perché il limitrofo paese di Castelchiaro aveva annunciato un presepe sensazionale sponsorizzato dal Supermercato Lampadari, con luci dappertutto e un angelo intermittente. Avevano anche la miglior Madonna, una che sapeva stare immobile per ore senza battere ciglio, secondo noi la drogavano. Montevello, paese sopra il nostro, aveva il colpo di teatro delle duecento pecore vere attorno alla capanna. Dopo la rappresentazione la piazza era una moquette di merda, ma l'effetto era assicurato. Ca' di Basso aveva il miglior Gesù Bambino, un nano che cantava con voce melodiosa, e il miglior bue, un colosso bianco che soffiava vapore come una ciminiera. Noi dovevamo competere contro tutto quello spiegamento di mezzi e trovare ogni anno nuove idee. Morgante propose:

– Facciamo il presepe su un camion, la Sacra Famiglia nella cabina, il bue e l'asino nel rimorchio.

– Sì, e Dio vigile urbano – commentò spazientito don Carambola.

Ma Ato, lo scemo del paese, esclamò: – A me piacerebbe!

E siccome don Carambola dava molto retta ad Ato, fece una concessione: all'Epifania i Re Magi, invece che col cammello, sarebbero arrivati in camion. E i preparativi iniziarono. Ma quell'anno tutto fu difficile, soprattutto trovare i personaggi principali. Il presepe vivente, come si usa dire, brucia i suoi divi. Maria Carmela, che da tre anni impersonava la Madonna, era rimasta incinta non di Spirito Santo ma di oste laico. Si sarebbe dovuta eleggere Miss Madonna, ma non era facile, perché quello era un paese di vecchi e vecchie. Qualcuno fece subito il nome di Ludmilla.

– Ma è straniera! – obiettarono le bigotte. – E si dice che al suo paese girasse armata.

– Viene sempre a messa, è una lavoratrice ed è un fior di ragazza – rispose don Carambola.

Mentre diceva "fior di ragazza" era come se sul davanti della tonaca scorresse il sottotitolo "un gran pezzo di gnocca". Così, in barba a tradizionalisti e xenofobi, per la prima volta scegliemmo una Madonna bionda ed estera. Per Giuseppe ogni anno era sempre più complicato. Il Santo di qualche anno prima, ad esempio, si era sbronzato, ed era finito a dormire sdraiato nella mangiatoia, con la Madonna arrabbiatissima. Il Giuseppe dell'anno dopo era un bravo ragazzo, ma gli cadeva sempre la barba finta, era un po' culandra e faceva l'occhietto all'angelo. Finalmente fu trovato un Giuseppe perfetto, barba fulva, occhi chiari, operaio cattolico-ebanista. Ma si sposò e ingrassò venti chili, dopo un anno andava bene a fare il bue. Allora fu ingaggiato un Giuseppe di un altro paese, barbona nera e occhi da matto. Purtroppo era allergico alla paglia. Dopo due minuti iniziò a sparar starnuti da obice, e gli partì un lapillo di moccolo assai visibile in testa al Bambinello. Quindi fu colto da un attacco d'asma e iniziò a gonfiarsi. Lo portarono via in barella. Perciò quell'anno Morgante propose il collega Donato. Anche se terrone, era alto e biondo, con la barba incolta.

– No, – disse il prete – quello bestemmia ogni mattina, intinge i cancheri nel cappuccino.

– Ma è un bravo ragazzo lavoratore e rispettoso della segnaletica – disse il sindaco.

– Se promette di non sacramentare, va bene – concesse don Carambola.

– Non ci penso neanche – rispose Donato quando gli fu fatto l'invito. – Sai che palle, immobile al freddo col bastone in mano, e un cinnazzo che frigna nella paglia. E chissà che razza di suorina lessa farà la Madonna...

– La farà la signorina Ludmilla – disse la sarta Luciana con sguardo lampeggiante e paraninfo.

– Ludmilla la bionda, quella che lavora dal fornaio?

– Lei.

– Va bene, se non avete nessun altro... – disse Donato.

Dopodiché andò a riparare il carburatore, perché niente come metter le mani nel motore lo faceva sfogare, si martellò tre dita e si lordò d'olio, ruppe un cacciavite e così finì il bonus di bestemmie per tutto il mese e si presentò tranquillo alla sarta Luciana. Fu munito di gilè di pecora, ciocie e bastone. Il gilet era un motel di insetti, le ciocie strangolavano i polpacci, il bastone puzzava di merda. Ma Donato dimenticò ogni odore e imbarazzo quando apparve Ludmilla. Il velo azzurro le copriva metà volto, ma l'altra metà bastava per muovere i pistoni nel cuore di Donato.

Vennero messi fianco a fianco nella capanna, con Gesù Bambino impersonato quell'anno da tale Luigino, poi divenuto rapinatore di benzinai. Cominciò una gran nevicata coreografica, ma i due sposi non se ne accorsero, si guardavano rapiti. Il bue ebbe un attacco di cagarozzo e petò tutto il pentagramma, ma i due non se ne accorsero. Il Bambinello Luigino, prole di fabbro e perciò robusto, ma non atermico, iniziò ad assumere una tinta bluastra, e nemmeno di quello si accorsero. Fu l'angelo, cioè Augusto, pizzaiolo nella vita terrena, a segnalare che il Bambinello aveva bisogno di una scaldata.

Fu messa una termocoperta nella paglia, stava per prendere fuoco tutto ma naturalmente i due amorosi se ne accorsero.

Perciò Giuseppe e Maria vennero richiamati a maggior concentrazione da don Carambola e al tocco delle ventitré tutto era pronto. Davanti alla capanna, illuminata con fari dal camion di Morgante, erano disposti vari figuranti, tra cui dodici pastori con pecore sulle spalle. Ato come sempre era il più sfigato e la sua gli cagava ininterrottamente dentro al colletto. Poi c'erano la portatrice d'acqua, il dormiglione, e due contadine con le uova. Morgante, nella parte di un boscaiolo, leggeva "l'Unità" nell'attesa, e fu redarguito. L'angelo oscillava, la cometa, ricamata a lustrini dalla sarta Luciana, esibiva sfavillii e gibigianne. Il bue e l'asino erano stati ammansiti dopo un inizio di rissa. Il bue con un'overdose di lenticchie e l'asino con una misteriosa iniezione del veterinario. Il risultato era che il bue ruttava e l'asino russava. I due interpreti principali chiesero di poter andare a bere qualcosa di caldo. A mezzanotte, quando la processione degli spettatori arrivò alla grotta, qualcuno notò che Giuseppe aveva una traccia di rossetto sul collo, e la Madonna numerosi spuracchi e fuscelli di paglia sul velo, indici certi di rotolamento. Ma era Natale e furono perdonati. A Capodanno, già vivevano insieme. All'Epifania, i Re Magi fecero la loro trionfale entrata col tir. Erano solo Gaspare e Baldassarre, Melchiorre ubriaco era caduto dal cassone. Ma fu ugualmente un successo. Come disse Morgante, sbronzo e trionfante:

– Era un presepe perfetto. Mancava solo Lenin.

Don Carambola fece finta di non aver sentito.

LO SPIRITO DEL CAMINO

Esszé a fiammorgallus létézéséről.

A. MOLNÁR

Tanti anni fa, nel nostro paese, un fiammorgallo viveva dentro un camino.

A quei tempi ce n'erano molti, specialmente nei camini di campagna. Alcuni li consideravano spiriti buoni, altri diavoletti dispettosi. E anche sulla loro natura e sul loro aspetto, esistevano differenti leggende.

Sono fatti di fiamma, diceva qualcuno, quella inquieta, palpitante fiamma che scaturisce dal ciocco ardente, sono fiori, tralci verticali che cambiano colore e sembiante a seconda della natura del legno e dell'intensità della combustione. No, dicevano altri, la loro sostanza è di scintille e bagliori, sono gli sfavillanti fantasmi che danzano quando si attizza il fuoco, non fiori ma creature marine con tentacoli e guizzi caudali. Per gli alchimisti erano creature di solida brace, tartarughe o rettili con squame incandescenti, rintanati nel casalingo magma. Per i poeti la loro essenza era eterea, un alito di aria e fumo, visibile solo nell'attimo in cui il fuoco si spegneva. Lo scienziato Pirosius sosteneva che non si poteva mai vedere direttamente un fiammorgallo, ma soltanto scorgere il suo riflesso nel muro, e allora l'ombra della fiamma aveva profili di uccello, di sauro, di foresta tropicale.

Qualcuno giurava di averli visti e toccati, e che erano simili agli umani o a esseri fiabeschi. Piccoli elfi dagli occhi arrossati, in bilico sullo spiedo, pronti a rubare un pezzetto di salciccia o un'ala di pernice. Oppure draghetti minuscoli e sbuffanti che riattizzavano il fuoco quando l'uomo era distratto. Salamandre incastonate nella cenere come rubini, ragni con zampe color sangue, scarabei di corallo. Per i più paurosi, infine, erano piccoli satanassi ghignanti, pronti a scagliar lapilli per bruciare la casa, oppure a spaventare i bambini apparendo all'improvviso nel buio della cappa.

Io che conosco il loro vero aspetto, posso dirvi che niente di tutto questo è vero. Posso anche spiegarvi qual era il loro compito e il loro destino. Essi vegliavano dal camino sulla casa, cercando di aiutare e rallegrare i suoi abitanti. Non avevano grandi poteri, ma erano servizievoli, attenti, pazienti. Essendo spiriti del calore, tenevano il fuoco acceso quando si stava estinguendo, e con rumori e schiocchi attiravano l'attenzione degli umani, invitandoli a ravvivare le fiamme. Oppure salivano guizzando e, avvitandosi lungo la cappa del camino, la pulivano delle impurità. A volte, quando la legna faceva troppo fumo, ingoiavano una gran boccata acre e la sputavano fuori, nel buio della notte. A volte sostituivano un ciocco umido con uno secco. Riparavano lo spiedo e la catena del paiolo. Mescolavano la polenta quando la cuoca si addormentava. Se la dormiente, come Pinocchio, lasciava i piedi troppo vicino al fuoco, la destavano sputando una briciola di tizzone.

Poi, quando il camino era spento, risalivano la cappa e restavano sul tetto, a guardare la notte stellata, le nebbie e la neve. Tenevano lontane le cicogne perché non facessero il nido sul comignolo, riparavano le piccole crepe, andavano in giro a cercare legna secca e la radunavano vicino alla casa. Insomma, erano i custodi del focolare, del suo tepore, dei suoi odori, dei racconti e delle preghiere.

Il fiammorgallo di cui vi racconterò viveva tanti anni fa in un casolare di campagna, detto Ca' dei castagni. Ci abitava una famiglia numerosa, che la sera si radunava attorno al fuoco. La casa era fiocamente illuminata da candele e lumi a petrolio, e il camino era il suo sole, il suo altare splendente. Sopra la cappa erano appese pentole di rame, pignatte, mestoli e schidioni: al riverbero della fiamma sembravano scudi e spade, armi pronte a difendere quel prezioso regno.

Le vecchie erano le prime a radunarsi, per recitare un ipnotico rosario che il fiammorgallo conosceva a memoria e ritmava con gli schiocchi del ceppo. Poi veniva Lisa, la madre, a cucinare. E il fiammorgallo, solerte aiutante, sorvegliava il paiolo, lo spiedo e le patate sotto la cenere. Soffiava e ventilava. Qualche volta (ma solo per controllare!) assaggiava.

Dopo cena si sedeva vicino al fuoco il padre, un contadino silenzioso. Teneva in bocca la sorellina del camino, la pipa. Ma il momento più bello era quando arrivavano i bambini ad ascoltare le storie. Erano tre: Giuseppe, Giacomo e Teresa. Il vecchio nonno e la zia ne sapevano tante a memoria. Il fiammorgallo si accucciava dietro un alare e non soltanto ascoltava, ma partecipava. Come un burattinaio, muoveva le fiamme. Se il vecchio parlava di una festa faceva ballare la vampa, se descriveva una storia paurosa faceva entrare una folata di vento provocando ululati e sibili, se descriveva una battaglia faceva crepitare i nodi del legno e lanciava dardi di faville.

Se era una storia d'amore...

Beh, allora ascoltava, quelle erano le sue preferite.

Il camino era il suo luogo di osservazione, e da lì vedeva i momenti felici della casa, ma non soltanto quelli. Vedeva la fatica del lavoro, il sonno che prendeva tutti all'improvviso, sapeva che lontano dal cerchio magico del fuoco c'era freddo, e non sempre c'era carne per lo spiedo.

Così vide tossire e ammalarsi il vecchio nonno, e non vide più Giuseppe, un pallido principino storto che amava stare ore e ore a guardare le braci. Giacomo dovette andare a lavorare in città e Teresa rimase sola e triste, a guardare il buio della cappa.

E al fiammorgallo dispiacque partire. Perché i fiammorgalli abitano due, tre anni in una casa, e poi ne passano dieci e anche più in giro per il mondo, perché non ce n'è abbastanza per tutti i camini.

Qualche anno dopo, il fiammorgallo tornò nel casolare dei castagni. Era pieno di racconti di paesi diversi e camini lontani, avrebbe diffuso nell'aria della casa odori di mare, parole strane, avventure, naufragi, canzoni. Guardando nel fuoco, tutti li avrebbero sognati.

Trovò il casolare molto cambiato. Una volta regnava solitario su un grande prato. Ora c'erano altre case vicine, alcuni castagni erano stati abbattuti per far passare una strada e nel prato non c'erano più le galline, ma un trattore e un grosso serbatoio.

Comunque scese per la cappa del camino e riconobbe subito la stanza, anche se era molto cambiata: al posto della vecchia cucina di ghisa c'era una bianca cucina a gas, non c'erano più la madia del pane, la piccola ghiacciaia di legno e la pompa dell'acqua. Un telefono trillava, una radio cantava, e soprattutto c'era la luce elettrica, tutti i colori e le ombre erano diversi.

Appesa al muro vide una fotografia di Lisa, listata di nero. Un ghiro gli disse che era morta in una notte di neve.

Servirò ancora?, si chiese il fiammorgallo. Ma subito si accorse che ancora qualcuno amava il camino. La bambina Teresa, che adesso era una bella ragazza, lo accendeva tutte le sere, e qualche volta cucinava. I polli avevano sostituito le pernici e le beccacce. Lo spiedo era elettrico e al posto dei tegami, sopra la cappa, c'erano dei piatti di porcellana disposti come il cinque di danari.

La vecchia zia era ancora più decrepita, aveva più rughe di una castagna secca e regnava immobile su un trono a rotelle, pregando da sola, a voce bassa. Il padre, ingrassato e rosso in viso, arrostiva salcicce con aria intontita. La sua nuova moglie, una donna petulante, rivoltava con malagrazia le braci, lamentandosi che il camino non scaldava, la stufa era piccola, ed era ora di comprare il termosifone. Anche il nonno non c'era più. Teresa aveva un figlio piccolo, gli raccontava ancora le fiabe davanti al camino, però non le sapeva a memoria, le leggeva da un libro. Erano diverse da quelle del vecchio nonno, ma il fiammorgallo era ancora capace di far ballare le fiamme e far ululare la cappa, e il bambino rideva e si spaventava proprio quando doveva. Però spesso tutti si addormentavano a metà.

Il fiammorgallo capì che il camino non aveva più la stessa importanza di prima. Spesso il fuoco si spegneva, la legna veniva comperata ed era umida e di cattiva qualità. Per accendere più in fretta a volte veniva usato un liquido puzzolente che faceva tossire il fiammorgallo. La sera davanti alle poche braci il padre beveva vino, insieme a due amici brontoloni, uno dei quali aveva come unico divertimento sputare e buttare bucce nel camino in testa al fiammorgallo. E la moglie si lamentava che voleva andare a vivere in città. La bella Teresa litigava col marito, un uomo torvo e scuro che ripeteva sempre di non voler più lavorare nei campi, perché non ci tiravi fuori un soldo.

La zia Castagnasecca aveva continui attacchi di asma, e nessuno se ne curava, toccava al fiammorgallo risalire in fretta per la cappa, prendere un po' di aria pura, molto in alto nel cielo, e soffiargliela in bocca. Sul tetto le cicogne non passavano più, solo aerei.

E la notte c'erano meno grilli e i fari delle macchine sciabolavano il buio, anzi il buio non c'era più, c'era un giorno più scuro.

Anche nella casa sembrava tutto un po' più triste.

Eppure al fiammorgallo sembrava che tutti avessero di più, che non ci fossero più la fame e il freddo e la malattia di Giuseppe storto e pallido, c'era la luce e la radio con la musica, e la fiamma azzurra della cucina, e non capiva perché tutti fossero così inquieti e meno allegri.

Il giorno che partì, ci fu una lite generale nella casa, tegami e piatti volavano contro i muri e dentro il camino, e il fiammorgallo ebbe l'impressione che non sarebbe più tornato.

Qualche anno dopo, invece, tornò. Ci mise parecchio, dall'alto, a riconoscere la casa. Era nascosta da un capannone, ed era tutta recintata. Il trattore non c'era più, e neanche il serbatoio del gasolio, in compenso c'erano quattro automobili, e una distesa di ghiaia al posto dell'erba. Speriamo che il camino ci sia ancora, pensò il fiammorgallo. Scese dalla cappa e vide le braci rosse e il fuoco pulsante, ma con grande stupore si accorse che era un fuoco freddo. Era tutto finto! Finto il legno, le braci erano vetro illuminato, e le fiamme erano pezzi di stoffa agitati da una ventola. Sulla cappa erano nuovamente appesi i tegami e i mestoli, ma si vedeva che erano lì per bellezza, lustri e inutili, non venivano più usati. Rivide Teresa, molto cambiata. Il marito era morto, e lei aveva adesso un altro compagno, un chiacchierone che sedeva davanti al camino e diceva: "Com'era bello il vecchio focolare," ma si capiva che non ne aveva mai visto uno. Il padre era sempre più ubriaco, la seconda moglie se n'era andata, portandosi via gli alari come pezzi di antiquariato. La cucina era nuova, moderna, con un frigorifero immenso che avrebbe potuto contenere il camino. C'era sempre nelle stanze vicine un concerto di musiche e telecronache. Alla sera la tavola era sempre imbandita, sembrava che la famiglia fosse diventata benestante. Teresa era sempre nervosa, con la sigaretta in bocca, e riempiva il camino di cicche, il bambino era diventato un ragazzo alto e capelluto: Cristiano, ma preferiva essere chiamato Chris. Suonava la chitarra davanti al finto camino insieme alla fidanzatina Jessica.

La zia Castagnasecca resisteva, imbalsamata sulla sedia a rotelle, fissa a contemplare la fiamma sintetica. Poteva anche essere scambiata per morta, ma dalla bocca sdentata le usciva un rantolo di respiro, e quando le davano da mangiare spalancava le fauci, come un lucertolone. Ora aveva uno spirito protettore, una donnina piccola e scura, che la accudiva.

E ogni sera, all'improvviso, con un filo di voce la zia ripeteva:
– Bravi, che tenete il camino acceso.

Per fortuna non era fuoco vero, perché la casa era rovente. I termosifoni bollivano giorno e notte e il fiammorgallo, che pure era creatura ignea, ogni tanto doveva risalire la cappa per respirare.

Respirare però era difficile, anche per uno spirito come lui. La casa era circondata da fabbriche e strade, l'aria era plumbea e sudicia, da ogni comignolo e marmitta salivano gas e veleni. Il fiammorgallo sapeva che anche il fumo di legna può avvelenare l'aria, ma adesso era come se fossero accesi tutti i camini dell'inferno.

Perciò la notte non usciva più sul tetto, tanto non c'erano più stelle da guardare. Dormiva sull'ultimo castagno rimasto, che aveva un'etichetta col numero e veniva curato perché era malato.

E di giorno il fiammorgallo si annoiava. Con un camino finto, cosa poteva fare? Si ridusse ad accendere la pipa del padre con sputi a distanza, tanto quello era così ubriaco che nemmeno se ne accorgeva, e a lucidare i tegami di rame e l'inutile spiedo.

Finché una sera arrivò una compagnia di ragazzi, amici di Chris e Jessica, uno di loro vide una vecchia padella forata appesa al muro e gridò:

– Dai, facciamo le caldarroste, riaccendiamo il camino!

– Ma non funziona più – disse Teresa.

– Ma no, ma no, – suggerì il fiammorgallo all'orecchio di quello che aveva lanciato la proposta – facciamo legna e togliamo quella robaccia finta, vedrai come ci divertiremo.

Insomma, andarono in garage, fecero a pezzi delle vecchie sedie, presero carta e giornali e innalzarono una pira di materiali vari, e invano il fiammorgallo diceva: non si fa così, fate con calma.

Alla fine accesero un rogo con carta, alcol e legna matta, divampava e subito si spegneva, finché il fiammorgallo non corse fuori, rubò un ciocco e lo fece trovare davanti alla porta.

Quando una ragazza arrivò trionfante, con un sacco di castagne nate cento chilometri lontano, il fiammorgallo era riuscito, soffiando, spostando e rimestando, ad accendere un fuoco decente.

Ma ahimè! Uno dei giovani lo soffocava buttando sopra altra legna, un altro spargeva le braci dappertutto, un altro metteva la padella sul fuoco vivo, un altro arrostiva le castagne senza castrarle e quelle scoppiavano come bombe. Jessica infilò una patata cruda sotto la cenere e la bruciò, Chris provò a cuocere una salciccia sul fuoco e la carbonizzò.

La cappa era sporca e tirava male e tutto si riempì di fumo finché arrivò il padre sbronzo e iroso e disse:

– Che idea del cazzo avete avuto, spegnete quel camino.

Ma ormai tutti erano ubriachi, fecero bere anche la vecchia zia terrorizzata, mangiarono caldarroste mezze crude e mozziconi di salciccia e il fuoco si spense.

Il fiammorgallo cercò di riaccenderlo, poi stremato andò sul tetto a riposarsi.

Guardava le case intorno e pensava: che strane, le persone. Quante cose hanno adesso che una volta non avevano. Non sanno più rinunciarvi ma sembra che non le amino, rimpiangono le cose vecchie ma non saprebbero cosa farsene, non ne conoscono né la storia né il dolore.

È difficile aiutare gli umani.

Così se ne andò per molti anni, in un posto così lontano e solitario che neanche si può descrivere, un camino di pietra in un'isola battuta dalle tempeste.

Dieci anni dopo tornò.

La casa era quasi invisibile, sepolta tra altri edifici. Era tutta recintata da una cancellata di ferro e dentro c'erano due cani neri e feroci, che lo sentirono arrivare e abbaiarono.

Salì sul tetto, dove c'era un'antenna rotonda grande come un immenso tegame. Il comignolo era chiuso, la cappa murata.

Entrò da una finestra.

La cucina era stata rifatta e divisa in due stanzette. Una luce al neon illuminava una moquette color cenere. Là dove una volta splendeva il camino, ora c'era uno schermo, e sullo schermo un grande incendio, un'intera montagna che bruciava.

Il fiammorgallo sapeva che quella si chiamava televisione, ma non ne aveva mai vista una così grande e con quei colori. Le fiamme sembravano proprio vere. Gli veniva da prendere un secchio d'acqua e spegnerle. Il fiammorgallo capì che quell'incendio era stato appiccato da uomini, ma non per scaldarsi.

Poi l'immagine cambiò e apparve il fuoco di un camino, e un dibattito tra alcune persone che parlavano di quanto era bello il focolare di una volta.

Il fiammorgallo notò che la televisione era accesa, ma la casa era gelata, come se non fosse riscaldata da tempo. E nella poca luce vide tre persone sedute davanti al fuoco dello schermo.

La preistorica zia, ormai simile a una mummia, o a un burattino di cartapesta, Teresa invecchiata, e il padre obeso e con la bocca storta.

Non potendo fare altro, il fiammorgallo si mise a far versi, soffi e ululati e a lanciare vampate calde e scintille. Svegliatevi, voleva dire, sono tornato.

Ma avvicinandosi vide che i tre erano immobili, senza espressione.

E così erano quelli sullo schermo, parlavano del fuoco del camino ma si capiva che era per finta, che non conoscevano né storia né dolore, infatti alla fine uno fece la pubblicità a un liquore che bisogna assolutamente bere davanti al fuoco di un vecchio camino, anche se non avete il camino.

Allora il fiammorgallo, che era uno spirito e sentiva la presenza degli altri spiriti, capì che erano tutti spenti. Quelli nella casa, e quelli nello schermo, spenti da tempo.

Uscì risalendo dal cavo dell'antenna, come un brivido elettrico, controcorrente, attraversando milioni di paesi.

Poi guardò la città dal tetto. Tutto era cambiato. Ma non si sentì vecchio: gli spiriti, come gli alberi, si trasformano, non invecchiano.

Lanciò una grande fiammata verso il cielo, come un grido. Da lontano, una fiammata gli rispose.

E il fiammorgallo volò via nella notte, alla ricerca di anime accese.

Quella fu l'ultima volta che ne ho visto uno.

I DUE PESCATORI

La morte andò a trovare il vecchio.
Ci andava quasi ogni giorno, ormai.
Sedeva insieme a lui sulla riva e lo guardava pescare.
Quando il vecchio prendeva un pesce e lo rimetteva in acqua, la morte scuoteva la testa.

Il vecchio annusava l'odore delle alghe portate a riva dalle onde.
Diceva ridendo: – Sono morte, ma respirarle fa bene ai polmoni.
– Ridi pure, vecchio – diceva la morte, e si riparava dal sole con un cappellaccio di paglia sfondata.
Il pescatore osservava i colori del mare pennellati dal vento, una striscia chiara di bonaccia e laggiù una striscia indaco di maestrale, e pensava alle isole che aveva visitato.
La morte pensava ai galeoni inabissati, agli scheletri che li abitavano, e ad antiche battaglie.

La lenza vibrava sottile, quasi invisibile, sospesa tra due mondi.
– Le onde sono tutte diverse – diceva il vecchio. – Se ascolti bene, quando si infrangono a riva, non sentirai mai due volte lo stesso suono. Il mare è un grande musicista. E anche i pesci sono uno diverso dall'altro. Ci sarà sempre un riflesso, un ricamo sulla pinna, la miniatura di una squama che non avevi mai visto prima.
– Anche i soldati sembrano tutti uguali – disse cupa la morte. – Bisogna averne visti morire molti per capire la differenza.
Una nuvola coprì il sole, e il vecchio rabbrividì.

– È ora che tu venga con me, vecchio – disse severa la morte. – Hai tanti anni, ormai fai fatica a vedere la lenza, i pesci ti scappano. E quando li prendi, li lasci andare, perché pensi che ti assomigliano. Perché vuoi vivere ancora? Che speranza hai?

– Magari mi succederà ancora qualcosa di bello. Mi passi un verme?

La morte infilò il verme sull'amo, con maestria. Poi disse:

– Cosa vuoi che ti succeda ancora? Passi i tuoi giorni tra malattia e insonnia, e non fai altro che ricordare. Vivi solo nel passato, ormai.

– Forse hai ragione – disse il vecchio.

Il vento cambiò e le barche all'ormeggio cominciarono a girarsi, come in una danza.

Il vecchio catturò un pesciolino d'argento col colletto nero e lo ributtò in acqua.

– Ti ho mai raccontato di quell'aragosta che scappò dalla cesta, e camminò fino al mare? Correva come un gatto, te lo giuro.

– Me lo hai raccontato almeno dieci volte. E io ti ho raccontato di quello che mi è successo con Rasputin?

– Almeno dieci volte anche tu. È tanto tempo che ci conosciamo, morte.

– Sì, molto. Da quando morì il tuo cane.

– No, – disse il vecchio – non fu allora. Fu tristissimo, avevo solo sette anni. Ma pensai che Billy non era morto, aveva semplicemente fatto un salto troppo lungo. Era un gran saltatore, aveva spiccato un balzo oltre il mondo. Per molto tempo ci giocai insieme, gli parlavo e lui mi seguiva. Tu non c'eri ancora.

– Non ricordo – disse la morte.

– Ricordi benissimo – disse il vecchio. – Ti ho conosciuto l'anno dopo, quando ho visto sul letto mio fratello, pallido e con la fronte fasciata. Allora mi sei venuta vicino. E da allora, a nessun pensiero sono stato fedele come al tuo.

– Grazie – disse la morte con un inchino.

– E anche tu mi sei fedele – disse il vecchio. – Vai in giro per il mondo, ma so che ti ricordi sempre di me.

Il mare ora era calmo e trasparente. La lenza era una freccia infissa nel mare, immobile e argentata. Il silenzio sembrò troppo anche alla morte.

– Tu pensi che io sia ingiusta, vecchio?

– Ingiusta, inutile, crudele.

– E perché parli con me?

– Cos'altro posso fare?

– Forse potrei non essere ingiusta – disse la morte. – Ma se fossi giusta, allora anche la vita dovrebbe cambiare, non credi? Pensare a me sarebbe diverso, niente potrebbe essere come prima. Niente di quello che c'è rimarrebbe. E non sarebbe una morte anche questa?

– Parli troppo, morte, mi spaventi i pesci.

– Già. Sai, anche per loro la morte è ingiusta.

– Sì, lo so. È un pensiero che qualche volta non mi fa dormire.

Il vecchio sembrò di colpo immensamente triste.

– Qual è il momento più felice che ricordi, vecchio?

– Oh, sono tanti – rispose il pescatore.

– Il primo che ti viene in mente.

– Tanti anni fa, in un giorno d'estate come questo, io e mio figlio andammo a pescare. Lui aveva otto anni. Camminando verso la spiaggia, incontrammo un campo di girasoli. Era sterminato, saliva su una collina come un'onda e poi la scavalcava e scendeva, tutto il mondo sembrava d'oro.

Entrammo nel campo. Nuotavamo in un mare frusciante, pieno d'odori e insetti. A ogni folata di vento, i fiori si muovevano tutti insieme, come fanno i banchi di pesci, nessuno dava l'ordine, sapevano dove andare. Ogni girasole era diverso dall'altro. Come le onde, e come i soldati. Io e mio figlio stavamo vicini. Io proteggevo lui e lui proteggeva me. Salimmo fino in cima alla collina e vedemmo un oceano grande, assetato di sole. Poi ritornammo indietro. Un amico ci aveva visti. Perciò ho una foto di quel giorno. La guardo ogni volta che sono triste.

– Bel ricordo, – disse la morte – ma cosa c'entra con la speranza? Tuo figlio è grande ormai. Il campo di girasoli forse non esiste più. Il tuo amico è morto. E tu non sai più pescare, sei quasi cieco, non riconosci un dentice da un'orata.

– E tu non riconosci più i soldati dai bambini – disse il vecchio.

Il sole stava calando, i lampioni del lungomare si accesero e illuminarono le chiome delle palme. Lontano si vide il balenare di un faro.

– Anche i segnali dei fari sono tutti diversi – disse il vecchio. – Quello laggiù, per esempio...

– Non cambiare discorso – disse la morte, sfiorandolo con la mano. – Allora, cosa speri per il tuo misero futuro, vecchio?

Il vecchio guardò lontano.

– Spero di tornare ancora, insieme a mio figlio, in quel campo di girasoli – rispose.

– Ma non succederà, – disse la morte, spazientita – morirai e non succederà!

– Non ti arrabbiare – rise il vecchio. – Io morirò, è vero. Ma non puoi convincermi che non succederà. Non puoi niente contro questa speranza. Non c'entra la fede, né la paura. Neanche tu, qui vicino a me sulla Terra, sai cosa succederà.

La morte restò in silenzio.

– E bada, – continuò il vecchio – anche se io decidessi di morire, se mi togliessi la vita, neanche allora mi avresti tolto la speranza. Tornerò in quel campo, con mio figlio.

La morte rise amaramente e tirò un sasso nell'acqua. Il sasso affondò senza rumore. Poi si alzò in piedi, e il vento le fece volare via il cappellaccio. Era piena di rughe, assomigliava al pescatore.

– Ci vediamo domani, vecchio testardo. Ho lavoro sull'autostrada, stanotte.

– Vacci piano – disse il vecchio.

– Andate piano voi – disse la morte. Riprese il cappello, se lo calcò in testa e guardò il mare. Sospirò. Sembrava non avesse voglia di andarsene.

– E dov'è questo campo di girasoli? – chiese.

– Domani ti porto – disse il vecchio.

INDICE

Ultimi volumi pubblicati in "Universale Economica"

Günter Grass, *Il tamburo di latta*. Nuova traduzione
Simonetta Agnello Hornby, *Boccamurata*
Giulia Carcasi, *Ma le stelle quante sono*
Alessandro Baricco, *Next*. Piccolo libro sulla globalizzazione e sul mondo che verrà
Eva Cantarella, *L'amore è un dio*. Il sesso e la polis
Richard Ford, *Incendi*
Miranda July, *Tu più di chiunque altro*
Christian Gailly, *Una notte al club*
Stewart Lee Allen, *La tazzina del diavolo*. Viaggio intorno al mondo sulle Vie del caffè
Bernard Ollivier, *La lunga marcia*. A piedi verso la Cina
Ryszard Kapuściński, *L'altro*
Michel Foucault, *"Bisogna difendere la società"*
Remo Bodei, *Destini personali*. L'età della colonizzazione delle coscienze
Pierre Bourdieu, *Il dominio maschile*
Jesper Juul, *Eccomi! Tu chi sei?* Limiti, tolleranza, rispetto tra adulti e bambini
William Voors, *Il libro per i genitori sul bullismo*
Jonathan Coe, *Caro Bogart*. Una biografia
Irene Bignardi, *Memorie estorte a uno smemorato*. Vita di Gillo Pontecorvo
Tullio Kezich, Alessandra Levantesi, *Dino*. De Laurentiis, la vita e i film
Stephen Cope, *La saggezza dello yoga*. Una guida alla ricerca di una vita straordinaria
Reinhard Kammer, *Lo zen nell'arte del tirare di spada*
Osho, *Cogli l'attimo*. Metodi, esercizi, testi e stratagemmi per ritrovare l'armonia dentro di sé
John Parker, *Il gioco della Tarantola*
Michael Koryta, *L'ultima notte di Wayne*
Cornell Woolrich, *Giallo a tempo di swing*
Nadine Gordimer, *Il conservatore*
Paolo Nori, *Bassotuba non c'è*
António Lobo Antunes, *In culo al mondo*
Enrique Vila-Matas, *Bartleby e compagnia*
Jonathan Coe, *La pioggia prima che cada*
Rossana Campo, *Più forte di me*
Osamu Dazai, *Il sole si spegne*
Erwin Panofsky, *Rinascimento e rinascenze nell'arte occidentale*
Sharon Maxwell, *È ora di parlarne*. Quel che i figli devono sapere dai genitori sul sesso

Rabindranath Tagore, *Il paniere di frutta*. A cura di B. Neroni
Ernesto Ferrero, *I migliori anni della nostra vita*
Giovanni Pesce, *Quando cessarono gli spari*. 23 aprile-6 maggio 1945: la liberazione di Milano
Yukio Mishima, *Neve di primavera*
Ryszard Kapuściński, *Giungla polacca*. Prefazione di A. Orzeszek
Abdourahman A. Waberi, *Gli Stati Uniti d'Africa*
Stefano Benni, *La grammatica di Dio*. Storie di solitudine e allegria
Banana Yoshimoto, *Il coperchio del mare*
Marcela Serrano, *I quaderni del pianto*
Benedetta Cibrario, *Rossovermiglio*
Domenico Starnone, *Prima esecuzione*
A.M. Homes, *La figlia dell'altra*
J.G. Ballard, *Regno a venire*
Osamu Dazai, *Lo squalificato*
Richard Ford, *Donne e uomini*
Christoph Ransmayr, *Il Mondo Estremo*
Will Ferguson, *Autostop con Buddha*. Viaggio attraverso il Giappone
Duilio Giammaria, *Seta e veleni*. Racconti dall'Asia Centrale
Michel Foucault, *Gli anormali*. Corso al Collège de France (1974-1975)
Serge Latouche, *La scommessa della decrescita*
Gerd B. Achenbach, *La consulenza filosofica*. La filosofia come opportunità di vita
Khyentse Norbu, *Sei sicuro di non essere buddhista?*
Grazia Verasani, *Velocemente da nessuna parte*
Alessandro Baricco, *L'anima di Hegel e le mucche del Wisconsin*. Una riflessione su musica colta e modernità
Yukio Mishima, *Colori proibiti*
Gianluca Bocchi, Mauro Ceruti, *Origini di storie*
Howard Gardner, *Sapere per comprendere*. Discipline di studio e disciplina della mente
Licia Pinelli, Piero Scaramucci, *Una storia quasi soltanto mia*
Edward W. Said, *Sempre nel posto sbagliato*. Autobiografia
Stefano Rodotà, *La vita e le regole*. Tra diritto e non diritto. Edizione ampliata
Ippolita Avalli, *La Dea dei baci*
Gino & Michele, *Neppure un rigo in cronaca*
Allan Bay, *Cuochi si diventa*
Charles Bukowski, *Musica per organi caldi*. Nuova traduzione
Manuel Puig, *Il bacio della donna ragno*